컨셉맵으로 미래 그리기: 학생과 학부모를 위한 진로 탐험

류용효

컨셉맵으로 미래 그리기: 학생과 학부모를 위한 진로 탐험

발행	|	2024년 3월 30일
저자	|	류용효
디자인	|	어비, 미드저니
편집	|	어비
펴낸이	|	송태민
펴낸곳	|	열린 인공지능
등록	|	2023.03.09(제202316호)
주소	|	서울특별시 영등포구 영등포로 112
전화	|	(0505)0440088
이메일	|	book@uhbee.net

ISBN | 979-11-93116-50-0

www.OpenAIBooks.shop

컨셉맵으로 미래 그리기: 학생과 학부모를 위한 진로 탐험

류용효

목차

머리말

이 책은 컨셉맵이라는 독특하면서도 효과적인 도구를 활용하여, 학생과 학부모가 함께하는 진로 탐험의 여정을 안내하는 책입니다. 꿈과 목표를 달성하는 여정은 때로는 어렵고 복잡할 수 있습니다. 그러나 컨셉맵은 마치 마법의 지도처럼 여러분의 꿈을 뚜렷하게 펼쳐주는 열쇠입니다. 컨셉맵의 마법과 함께 여정을 시작합니다. 여러분의 꿈을 현실로 만들기 위한 여정이지요. 이 책을 통해 여러분은 자신의 목표를 설정하고, 강점을 찾아내며, 다양한 진로 옵션을 탐험할 것입니다. 뿐만 아니라, 학생과 학부모 간의 소통과 협업의 중요성, 초중고, 대학 생활의 계획, 그리고 목표를 향한 전략적인 계획 수립까지 컨셉맵을 중심으로 다양한 주제를 다룰 것입니다. 우리는 이 책을 통해 여러분이 컨셉맵의 마법을 통해 꿈을 향해 나아가는 여정에서 지혜를 얻고, 새로운 시각과 열정을 발견하게 될 것입니다. 함께 여행하는 동안 더 나은 미래를 그릴 수 있기를 기대합니다.

이 책은 어비와 함께 '1인 1권 출판하기' 프로젝트에 참여하여, 생성형 AI인 ChatGPT, Bard, CLOVA X 에게 프롬프트 질문을 통한 책쓰기 가이드를 받아, 답을 얻은 내용을 바탕으로 작성하였습니다. 그리고 컨셉맵은 Cmap Tool의 도구를 이용하여 작성하였습니다.

저자 소개

류용효는 자동차 설계, 다양한 글로벌 IT 회사에서 국내외 글로벌 비즈니스를 하면서, 업무를 정리하는 취미를 키우던 중, 2005년에 멘토로부터 접한 Cmap을 통해 18년 동안 꾸준히 작업한 맵들은 서평맵 100권 이상이며, 블로그(PLMIs.tistory.com)와 Youtube 채널 "PLMcafe"에도 꾸준히 공유하고 있습니다. 페이스북 그룹 "컨셉맵연구소"를 운영하며, 컨셉맵을 배우고 싶어하는 분들을 위해 서울을 비롯한 부산, 창원에서 컨셉맵 클래스도 진행하고 있습니다. 기업과 학교를 대상으로는 디자인씽킹, 진로맵, 컨셉맵 그리기 등의 강의와 워크샵, 프로세스맵을 진행하고 있습니다. 또한, 매년 12명의 일과 삶을 컨셉맵으로 담은 캘린더를 만들고 있으며, 미모셀(미래모빌리티셀럽) 등의 온/오프라인 모임을 통해 기업성장맵을 만들어 재능기부 활동도 하고 있습니다. 더불어, 제조기업에 필요한 업무 프로세스맵(5미터 x 2미터) 작업을 통해 고객의 입장에서 도움을 주고 있습니다. 앞으로도 여러분과 함께 컨셉맵의 세계를 탐험하며, 꿈과 비전을 그릴 준비가 되셨다면 함께 여정을 시작하고자 합니다.

[프롤로그: 컨셉맵의 마법,
우리의 꿈을 연결하다]

지금까지의 나의 "일과 삶"의 여정에서 18년 동안(since 2005~) 컨셉맵이라는 도구를 통해 많은 가능성과 창의성을 발견할 수 있는지 깨닫게 되었습니다. 이 마법 같은 툴을 이용하면 우리의 생각과 꿈을 더 효과적으로 표현하고 이해할 수 있습니다. 컨셉맵이 마치 우리의 꿈을 연결하는 마법같은 도구로 어떻게 작용하는지에 대해 탐험하고자 합니다. 컨셉맵은 그림과 단어를 사용하여 아이디어와 정보를 구조화하고 연결시키는 강력한 시각적 도구입니다. 나는 이 도구를 처음 만났을 때, 마치 나만의 창조적인 세계를 탐험하는 것처럼 느꼈습니다. 그림과 단어가 얽혀진 컨셉맵은 내 꿈과 목표를 한눈에 볼 수 있게 해주었습니다. 컨셉맵을 사용하면 아이디어와 정보 간의 관계를 시각적으로 파악할 수 있습니다. 각각의 노드는 마치 나만의 지식의 씨앗이며, 이 씨앗들이 서로 교류하고 성장함으로써 새로운 아이디어와 관점이 탄생합니다. 이러한 시각적 표현은 우리의 머리 속에 퍼져 있는 복잡한 생각을 명확하게 정리하고, 연결된 꿈들 사이에 상호작용을 일으키는 데 도움을 줍니다. 컨셉맵이 어떻게 우리의 꿈을 현실로 이끌고, 학생과 학부모, 그리고 다양한 분야에서 어떻게 힘을 발휘할 수 있는지에 대해 더 자세히 알아보겠습니다. 컨셉맵의 마법 속에 우리의 창의성과 비전을 담아, 더 나은 미래를 그리는 여정에 함께 참여해 주셔서 감사합니다. 이 책이 여러분의 꿈과 목표를 더욱 투명하게 만들어 주고, 새로운 가능성을 열어 주길 기대합니다. 책에서는 크게 세가지 영역으로 살펴볼 예정입니다.

컨셉맵의 세계로의 초대: 마법의 도구의 발견

컨셉맵이 어떻게 우리의 일상을 마법같이 변화시키는지에 대한 첫인상을 전합니다. 컨셉맵은 단순한 그림과 단어의 조합이 아니라, 우리의 생각과 꿈을 형상화하는 강력한 도구로 작용합니다. 실제 사례와 함께 이 도구가 어떻게 새로운 아이디어를 창출하고 비전을 확장하는 데에 도움을 주는지를 다양한 각도에서 탐험합니다. 또한, 컨셉맵을 사용함으로써 우리의 마음을 열어 놓고, 새로운 가능성의 문을 열 수 있는 방법을 살펴봅니다.

시각적 표현의 마술: 컨셉맵으로 꿈을 그리다

컨셉맵을 사용하여 어떻게 꿈과 목표를 시각적으로 표현할 수 있는지를 상세하게 살펴봅니다. 간단한 그림과 단어의 결합이 어떻게 우리의 내면을 나타내고, 우리가 추구하는 꿈을 더 명확하게 표현하는 데에 도움이 되는지를 구체적인 예시를 통해 다룹니다. 또한, 학생과 학부모가 컨셉맵을 활용하여 학업 목표와 진로 계획을 시각화하고 공유하는 방법을 소개합니다.

꿈을 현실로 이끄는 지침서: 컨셉맵의 활용 전략

컨셉맵을 실제로 어떻게 활용하면 되는지에 대한 실용적인 전략을 다룹니다. 꿈을 이끄는 지침서로서, 컨셉맵은 목표를 설정하고 계획을 세우는 데에 큰 도움을 줍니다. 특히, 학부모와 학생 간의 소통을 강화하고, 진로 탐험을 돕기 위한 구체적인 사용 사례와 사례 연구를 통해 이를 실현하는 방법을 살펴봅니다. 마치 마법의 지침서처럼 컨셉맵은 우리의 꿈을 현실로 이끄는데 필요한 도구임을 여러분에게 안내합니다.

이와 같이 컨셉맵의 세계로의 첫 발을 내딛는 독자에게 꿈의 마법을 경험하게 해줄 것입니다.

진로 탐험은 우리의 삶에서 매우 중요한 역할을 합니다. 진로 탐험을 통해 우리는 자신의 강점과 약점을 파악하고, 관심사와 적성을 파악하며, 직업의 종류와 특성을 파악할 수 있습니다. 이를 통해 우리는 자신의 진로를 탐색하고, 진로 목표를 설정하며, 진로 계획을 수립할 수 있습니다. 하지만, 진로 탐험은 쉬운 일이 아닙니다. 진로 탐험을 위해서는 많은 시간과 노력이 필요하며, 때로는 어려움을 겪을 수도 있습니다. 이러한 상황에서 컨셉맵은 우리에게 큰 도움을 줄 수 있습니다. 컨셉맵은 우리의 생각을 정리하고, 아이디어를 연결하며, 미래를 그리는 데에 큰 도움을 줍니다. 이 책에서는 컨셉맵을 활용하여 진로 탐험을 하는 방법을 소개합니다. 컨셉맵을 활용하여 자신의 강점과 약점을 파악하고, 관심사와 적성을 파악하며, 직업의 종류와 특성을 파악할 수 있습니다.

이 책은 여러분의 꿈을 연결하는 마법을 선사할 것입니다. 컨셉맵을 활용하여 자신의 미래를 그려보세요. 여러분의 꿈이 현실이 되는 순간을 경험할 수 있을 것입니다.

류용효

2023년 11월 30일

1장 컨셉맵 소개

1.1 컨셉맵이란?

컨셉맵(conceptmap)은 개념(concept_과 개념(concept) 간의 관계를 시각적으로 표현한 도구입니다. 컨셉(concept)은 어떤 대상이나 현상을 이해하고 설명하는 데 사용하는 기본적인 생각이나 개념을 말합니다. 컨셉맵은 이러한 컨셉을 중심으로 개념 간의 관계를 선과 화살표로 연결하여 나타냅니다. 컨셉맵은 1970년 대에 코넬 대학에서 학생들의 과학 지식을 체계적으로 표현하기 위해 조셉 노박(Joseph D. Novak) 교수에 의해 만들어졌습니다. Concept Map의 가장 큰 특징은 각각의 컨셉이 의미(meaning)있는 관계로 연결되어 있다는 것입니다. 학생들이 복잡한 정보를 이해하고, 자신의 생각을 체계적으로 정리하는 데 도움이 되는 도구를 개발하고자 했습니다. 컨셉맵은 다음과 같은 특징을 가지고 있습니다.

시각적 표현: 컨셉맵은 시각적으로 정보를 표현하기 때문에, 글이나 말로 표현하기 어려운 개념이나 관계도 쉽게 이해할 수 있습니다.

체계적 사고: 컨셉맵은 개념 간의 관계를 선과 화살표로 연결하여 나타내기 때문에, 개념을 체계적으로 이해하는 데 도움이 됩니다.

창의적 사고: 컨셉맵은 개념 간의 새로운 관계를 발견하는

데 도움이 되기 때문에, 창의적 사고를 촉진하는 데 도움이
됩니다.

구분	컨셉맵	마인드맵	피쉬본 다이어그램
관계	상관관계 정의	종속관계 정의	종속관계
용도	자유롭게 생각을 떠올리고 관계 정리	꼬리에 꼬리를 무는 생각의 확장 정리	결과보다는 이유에 대해 전체 팀이 집중해서 일 해야 할 때
SW	IHMC CmapTool	Xmind, MindManager	Powerpoint

표. 맵 종류별 특징 비교

맵을 작성하기 위해서는 다음과 같은 단계를 거칠 수 있습니
다. 첫째, 주제 선정: 컨셉맵을 작성할 주제를 선정합니다. 주
제는 자신이 관심 있는 주제이거나, 진로 탐색에 도움이 되
는 주제가 될 수 있습니다. 둘째, 핵심 개념 도출: 주제와 관
련된 핵심 개념을 도출합니다. 핵심 개념은 주제를 가장 잘
설명하는 개념입니다. 셋째, 핵심 개념 간의 관계를 설정합니
다. 관계는 개념을 연결하는 선과 화살표로 표현합니다. 넷째,
핵심 개념과 관계를 모두 포함하여 컨셉맵을 완성합니다. 그
리고 컨셉맵을 작성할 때는 다음과 같은 사항을 고려하면 좋

습니다. 첫째, 핵심 개념은 명확하고 간결하게 표현합니다. 둘째, 관계는 명확하고 구체적으로 표현합니다. 셋째, 컨셉맵은 시각적으로 보기 좋게 구성합니다. 하지만, 컨셉맵은 다음과 같은 한계도 가지고 있답니다. 컨셉맵은 개념과 개념 간의 관계를 시각적으로 표현하는 도구입니다. 따라서 개념의 의미나 내용을 자세하게 표현하기에는 한계가 있습니다. 컨셉맵은 개념 간의 관계를 표현하는 도구입니다. 따라서 개념의 중요도나 상대적인 관계를 표현하기에는 한계가 있습니다. 컨셉맵은 이러한 한계를 가지고 있지만, 복잡한 정보를 이해하고, 자신의 생각을 체계적으로 정리하는 데 효과적인 도구입니다.

1.2 컨셉맵의 장점과 활용법

컨셉맵은 다음과 같은 장점을 가지고 있습니다. 첫째, 정보 이해력 향상: 컨셉맵은 시각적으로 정보를 표현하기 때문에, 글이나 말로 표현하기 어려운 개념이나 관계도 쉽게 이해할 수 있습니다. 둘째, 사고력 향상: 컨셉맵은 개념 간의 관계를 선과 화살표로 연결하여 나타내기 때문에, 개념을 체계적으로 이해하고, 새로운 관계를 발견하는 데 도움이 됩니다. 셋째, 창의력 향상: 컨셉맵은 개념 간의 새로운 관계를 발견하는 데 도움이 되기 때문에, 창의적 사고를 촉진하는 데 도움이 됩니다. 컨셉맵은 다양한 분야에서 활용될 수 있습니다. 교육 분야에서는 학생들의 학습 효과를 높이기 위해, 비즈니스 분야에서는 업무의 효율성을 높이기 위해, 의료 분야에서는 환자의 치료 계획을 수립하기 위해 사용되고 있습니다. 컨셉맵은 진로 탐색에도 효과적으로 활용될 수 있습니다. 다음은 컨셉맵을 활용한 진로 탐색의 예입니다.

목표 설정: 컨셉맵을 사용하여 자신의 목표와 비전을 시각화하고, 이를 달성하기 위한 계획을 수립할 수 있습니다.

강점과 관심 분야 탐색: 컨셉맵을 사용하여 자신의 강점과 관심 분야를 파악하고, 이를 바탕으로 진로를 탐색할 수 있습니다.

진로 정보 수집: 컨셉맵을 사용하여 다양한 진로에 대한 정보를 수집하고, 이를 비교하여 분석할 수 있습니다.

진로 계획 수립: 컨셉맵을 사용하여 진로 개발의 단계별 계획을 수립하고, 이를 실천할 수 있습니다.

다음은 컨셉맵을 활용한 진로 탐색의 구체적인 예입니다.

목표 설정: 자신의 미래에 대한 꿈과 목표를 컨셉맵으로 표현할 수 있습니다. 예를 들어, "세계적인 과학자가 되고 싶다"라는 꿈을 가지고 있다면, 이를 "과학자"라는 핵심 개념으로 표현하고, 이를 달성하기 위한 구체적인 목표를 하위 개념으로 표현할 수 있습니다.

강점과 관심 분야 탐색: 자신의 강점과 관심 분야를 컨셉맵으로 표현할 수 있습니다. 예를 들어, 수학과 과학에 관심이 많고, 논리적이고 분석적인 사고를 좋아한다면, 이를 "수학"과 "과학"이라는 핵심 개념으로 표현하고, 이를 뒷받침하는 구체적인 증거를 하위 개념으로 표현할 수 있습니다.

진로 정보 수집: 다양한 진로에 대한 정보를 수집하고, 이를 비교하여 분석하기 위해 컨셉맵을 활용할 수 있습니다. 예를 들어, "의사"라는 직업에 관심이 있다면, 의사의 역할과 책임, 필요한 자격과 능력, 진로 전망 등을 컨셉맵으로 정리할 수 있습니다.

진로 계획 수립: 진로 개발의 단계별 계획을 수립하고, 이를 실천하기 위해 컨셉맵을 활용할 수 있습니다. 예를 들어, "의사"라는 직업을 목표로 한다면, 학업 계획, 인턴십 경험, 자격증 취득 계획 등을 컨셉맵으로 표현할 수 있습니다.

컨셉맵을 활용한 진로 탐색은 다음과 같은 효과를 기대할 수 있습니다.

자신의 꿈과 목표를 명확히 할 수 있습니다.

자신의 강점과 관심 분야를 파악할 수 있습니다.

다양한 진로에 대한 정보를 체계적으로 수집하고 분석할 수 있습니다.

진로 개발의 단계별 계획을 수립하고 실천할 수 있습니다.

컨셉맵을 활용한 진로 탐색을 위한 팁

자신의 진로에 대한 관심과 열정을 가지고 컨셉맵을 작성하세요. 컨셉맵은 자신의 생각을 시각적으로 표현하는 도구입니다. 따라서 자신의 진로에 대한 관심과 열정이 없다면, 컨셉맵을 효과적으로 작성하기 어렵습니다. 자신의 진로에 대한 관심과 열정을 가지고 컨셉맵을 작성하면, 더 풍부하고 의미 있는 컨셉맵을 완성할 수 있습니다. **개념과 관계를 명확하게 정의하세요.** 컨셉맵은 개념과 관계를 시각적으로 표현하는 도구입니다. 따라서 개념과 관계를 명확하게 정의하지 않으면, 컨셉맵을 이해하기 어렵습니다. 개념과 관계를 명확하게 정의하기 위해서는 다음과 같은 질문을 스스로에게 던져보세요.

* 이 개념(concept)은 무엇을 의미합니까?

* 이 개념은 왜 중요합니까?

* 이 개념과 다른 개념과의 관계는 무엇입니까?

관계를 표현할 때 다양한 기호를 사용해보세요. 컨셉맵에서 관계는 선과 화살표로 표현됩니다. 하지만, 관계를 표현할 때 다양한 기호를 사용하면, 컨셉맵을 더 효과적으로 표현할 수 있습니다. 예를 들어, 다음과 같은 기호를 사용할 수 있습니다.

* 굵은 선: 강한 관계

* 점선: 약한 관계

* 화살표의 방향: 관계의 방향

* 화살표의 끝: 관계의 종류

컨셉맵을 지속적으로 업데이트하세요. 진로 탐색은 지속적으로 이루어지는 과정입니다. 따라서 컨셉맵도 지속적으로 업데이트해야 합니다. 새로운 정보를 얻거나, 자신의 생각이나 가치관이 변화하면, 컨셉맵을 수정하여 반영하세요. 컨셉맵을 지속적으로 업데이트하면, 진로 탐색의 과정을 더 효과적으로 관리할 수 있습니다.

컨셉맵은 진로 탐색에 효과적인 도구입니다. 컨셉맵을 활용하여 자신의 꿈과 목표를 명확히 하고, 다양한 진로에 대한 정보를 체계적으로 수집하고 분석하고, 진로 개발의 단계별 계획을 수립하고 실천하세요.

2장 미래의 문을 열다: 목표 설정과 비전 구축

2.1 나만의 목표 찾기

목표의 중요성

목표는 삶의 방향을 제시하고, 이를 달성하기 위한 노력을 이끄는 동기가 됩니다. 목표가 있으면, 삶에 의미와 목적을 부여하고, 삶의 만족도를 높일 수 있습니다.

진로 탐색에서도 목표는 매우 중요합니다. 목표를 설정하면, 자신의 꿈과 비전을 명확히 하고, 이를 달성하기 위한 진로를 탐색할 수 있습니다. 또한, 목표를 달성하기 위해 노력하면서, 자신의 강점과 관심 분야를 발견하고, 이를 바탕으로 진로를 발전시킬 수 있습니다.

나만의 목표 찾기

나만의 목표를 찾기 위해서는 다음과 같은 과정을 거칠 수 있습니다.

1) 꿈과 비전을 생각해보세요. 먼저, 자신이 이루고 싶은 꿈과 비전을 생각해보세요. 꿈과 비전은 구체적이지 않아도 좋습니다. 예를 들어, "세계를 여행하고 싶다", "남을 돕는 일을

하고 싶다", "사회에 기여하고 싶다"와 같은 꿈과 비전을 생각해 볼 수 있습니다.

2) 자신의 강점과 관심 분야를 파악하세요. 다음으로, 자신의 강점과 관심 분야를 파악하세요. 강점은 자신이 잘하는 일이며, 관심 분야는 자신이 좋아하는 일입니다. 강점과 관심 분야를 파악하면, 이를 바탕으로 자신의 목표를 설정할 수 있습니다.

3) 현실적인 목표를 설정하세요. 마지막으로, 현실적인 목표를 설정하세요. 너무 큰 목표를 설정하면, 도전감은 있지만 실현 가능성이 낮아 실망감으로 이어질 수 있습니다. 작은 목표부터 시작하여, 단계적으로 목표를 달성해 나가는 것이 좋습니다.

나만의 목표 설정하기

나만의 목표를 설정할 때는 다음과 같은 사항을 고려하면 좋습니다. 구체적이고 측정 가능한 목표를 설정하세요. 목표는 구체적이고 측정 가능한 것이어야 합니다. 구체적이고 측정 가능한 목표는 달성 여부를 확인하기 쉽고, 이를 통해 목표 달성을 위한 노력을 지속할 수 있습니다. 현실적이고 도전적인 목표를 설정하세요. 목표는 현실적이면서도 도전적이어야 합니다. 현실적이지 않은 목표는 달성 가능성이 낮고, 도전적이지 않은 목표는 동기 부여가 되지 않습니다.

시간적인 제한을 두세요. 목표에는 시간적인 제한을 두는 것이 좋습니다. 시간적인 제한을 두면, 목표 달성을 위한 일정을 계획하고, 이를 실천할 수 있습니다.

"나에게 맞는 일은 반드시 있다 " 는 믿음

나의 브랜드는 ?

나의 재능과 열정을 중심축으로

내가 열정을 쏟고 싶은 것은 ?

진로맵

세상이 원하는 일을 향해 피보팅

나의 강점은 ? 그리고 약점은 ?

하고, 하고, 또 하고 : 실패가 아니라 피보팅

"지금 내가 원하는 일은 무엇인가? "

진로맵의 역할 (image by 류용효)

나만의 목표를 이루기 위한 노력

나만의 목표를 이루기 위해서는 다음과 같은 노력이 필요합니다. 목표를 항상 기억하세요. 목표를 항상 기억하고 있으면, 목표 달성을 위해 노력할 수 있습니다. 목표를 기억하기 위해서는 목표를 적어 두거나, 목표를 달성하기 위한 계획을 세우는 것이 좋습니다. 계획을 세우고 실천하세요. 목표를 이루기 위해서는 계획을 세우고 실천하는 것이 중요합니다. 구체적인 계획을 세우고, 이를 실천함으로써 목표 달성에 한 걸음 더 가까워질 수 있습니다. 실패를 두려워하지 마세요. 목표를 이루는 과정에서 실패는 자연스러운 일입니다. 실패를 두려워하지 않고, 이를 교훈 삼아 다시 도전한다면, 결국 목표를 달성할 수 있습니다.

나만의 목표 찾기의 팁

나만의 목표를 찾는 데 도움이 되는 팁을 몇 가지 소개합니다. 다양한 경험을 쌓으세요. 다양한 경험을 쌓으면, 자신의 강점과 관심 분야를 발견하고, 이를 바탕으로 나만의 목표를 설정할 수 있습니다. 타인의 경험을 참고하세요. 타인의 경험을 참고하면, 나만의 목표를 설정하는 데 도움이 될 수 있습니다. 성공한 사람들의 이야기나, 진로 상담 전문가의 도움을 받을 수 있습니다. 끊임없이 고민하고 생각해보세요.

2.2 비전과 꿈의 시각화

비전과 꿈은 삶의 방향과 목표를 제시합니다. 비전은 장기적인 목표이며, 꿈은 이루고 싶은 구체적인 목표입니다. 비전과 꿈이 있으면, 삶에 의미와 목적을 부여하고, 삶의 만족도를 높일 수 있습니다. 진로 탐색에서도 비전과 꿈은 매우 중요합니다. 비전과 꿈을 시각화하면, 자신의 미래를 구체적으로 상상하고, 이를 달성하기 위한 진로를 탐색할 수 있습니다. 또한, 비전과 꿈을 시각화하면, 목표 달성에 대한 동기 부여가 되고, 어려움을 극복하는 힘을 얻을 수 있습니다.

비전과 꿈을 시각화하는 방법

비전과 꿈을 시각화하는 방법은 다음과 같습니다. 첫째, **구체적인 이미지를 떠올리세요**. 비전과 꿈을 시각화하려면, 구체적인 이미지를 떠올리는 것이 중요합니다. 예를 들어, "세계적인 과학자가 되고 싶다"는 비전이 있다면, 연구실에서 실험을 하고 있는 자신의 모습을 떠올릴 수 있습니다. 둘째, **감각을 자극하는 표현을 사용하세요**. 비전과 꿈을 시각화할 때는, 감각을 자극하는 표현을 사용하면 더 효과적입니다. 예를 들어, "파란 하늘을 배경으로 흰 구름이 떠 있는 넓은 들판에서, 아름다운 음악을 들으며 춤을 추고 있는 자신"이라는 이미지를 떠올릴 수 있습니다. 셋째, **시, 그림, 음악 등 다양한 방법을 활용하세요**. 비전과 꿈을 시각화하는 데에는 다양한 방법을 활용할 수 있습니다. 시, 그림, 음악, 영상 등 자신이 가장 잘 표현할 수 있는 방법을 선택하여 활용하세요.

비전과 꿈의 시각화의 효과

비전과 꿈을 시각화하면 다음과 같은 효과를 기대할 수 있습니다. 첫째, **목표 달성에 대한 동기 부여가 됩니다.** 비전과 꿈을 시각화하면, 목표 달성에 대한 동기 부여가 됩니다. 구체적인 이미지와 감각을 통해, 목표를 더 현실적으로 느낄 수 있기 때문입니다. **둘째, 어려움을 극복하는 힘을 얻을 수 있습니다.**

비전과 꿈을 시각화하면, 어려움을 극복하는 힘을 얻을 수 있습니다. 목표를 달성하기 위해 노력하는 과정에서, 어려움을 만날 수 있지만, 비전과 꿈을 떠올리면, 어려움을 극복할 수 있는 힘을 얻을 수 있습니다. 셋째, **삶의 만족도가 높아집 니다**. 비전과 꿈을 시각화하면, 삶의 만족도가 높아집니다. 목표를 향해 나아가고 있다는 느낌을 받으면, 삶에 의미와 목적을 부여하고, 삶의 만족도를 높일 수 있습니다.

비전과 꿈의 시각화의 팁

비전과 꿈을 시각화하는 데 도움이 되는 팁을 몇 가지 소개합니다. 첫째, **자신만의 비전과 꿈을 설정하세요**. 타인의 비전과 꿈을 따라가는 것은 의미가 없습니다. 자신만의 비전과 꿈을 설정하고, 이를 시각화하는 것이 중요합니다. 둘째, **꾸준히 연습하세요**. 비전과 꿈을 시각화하는 것은 훈련이 필요합니다. 꾸준히 연습하여, 비전과 꿈을 더 생생하게 시각화할 수 있도록 노력하세요. 셋째, **다른 사람과 공유하세요**. 비전과 꿈을 다른 사람과 공유하면, 이를 더 현실적으로 느낄 수 있습니다. 가족, 친구, 선생님 등 신뢰하는 사람과 비전과 꿈을 공유하세요.

[2.3 컨셉맵으로 목표 세우기]

컨셉맵은 비전과 목표를 세우고 그것을 효과적으로 달성하기 위한 강력한 시각화 도구로서의 역할을 수행합니다. 이 장에서는 컨셉맵을 사용하여 목표를 세우고 이를 실제로 달성하기 위한 방법과 전략에 대해 다양한 측면에서 탐험합니다. 세 가지 주요 주제를 다루며 각각의 주제에 대해 자세한 내용을 통해 독자들에게 실질적인 도움을 제공합니다.

목표의 시각화와 세부 목표 설정

컨셉맵을 활용하여 목표를 명확하게 시각화하고 세부 목표를 설정하는 과정을 탐험합니다. 독자들은 목표를 중심에 두고, 그 목표를 달성하기 위해 필요한 세부 목표들을 가지치기 형태로 연결하여 컨셉맵을 만들어 봅니다. 이를 통해 큰 목표를 세우고 달성하기 위한 구체적인 계획을 시각적으로 파악하게 됩니다. 또한, 각 목표 사이의 관계와 우선순위를 명확히하여 목표를 효율적으로 추진할 수 있습니다.

자원과 도구의 최적 활용

목표를 달성하기 위해서는 어떠한 자원과 도구를 활용할 것인지가 중요합니다. 이 장에서는 목표 달성을 위해 필요한 자원과 도구를 컨셉맵을 통해 최적으로 활용하는 방법을 탐험합니다. 독자들은 목표와 관련된 필요한 자원을 식별하고, 각 자원을 어떻게 최대한 효과적으로 활용할 수 있는지를 컨셉맵에 표현해 봅니다. 이를 통해 제약 조건을 고려한 목표 달성 전략을 구축할 수 있습니다.

진행 상황 추적과 수정

목표를 달성하기 시작하면, 그 과정에서의 진행 상황을 지속적으로 추적하고 필요에 따라 계획을 수정하는 것이 필수적입니다. 이 장에서는 컨셉맵을 활용하여 목표에 대한 진행 상황을 시각적으로 정리하고, 필요한 경우 수정하는 방법을 다룹니다. 독자들은 목표 달성을 위해 설정한 계획이 얼마나 효과적인지를 지속적으로 평가하고, 수정해 나감으로써 목표 달성의 효율성을 높일 수 있습니다.

컨셉맵으로 목표 세우기의 팁

컨셉맵으로 목표를 세우는 데 도움이 되는 팁을 몇 가지 소개합니다.

첫째, **다양한 개념을 포함하세요**. 목표를 설정하기 위해서는 다양한 개념을 포함하는 것이 중요합니다. 비전과 꿈, 강점, 관심 분야뿐만 아니라, 자신이 가지고 있는 가치관, 성격, 재능 등을 고려하여 개념을 선정하세요. 둘째, **관계를 명확히 하세요.** 개념 간의 관계를 명확히 하면, 목표를 더 구체적으로 이해할 수 있습니다. 개념 간의 관계를 단순히 연결하는 것이 아니라, 어떤 관계인지 설명하세요. 셋째, **꾸준히 수정하고 업데이트하세요.** 상황이 변하거나, 새로운 정보를 얻으면, 컨셉맵을 수정하고 업데이트하세요. 컨셉맵을 꾸준히 수정하고 업데이트하면, 목표 달성에 더 효과적으로 도움이 될 수 있습니다.

컨셉맵으로 목표를 세우는 것은 진로 탐색에 있어 매우 효과적인 방법입니다. 컨셉맵을 활용하여, 자신의 비전과 꿈을 구체화하고, 이를 달성하기 위한 목표를 설정하세요.

뤼튼(Wrtn)으로 그린 그림 : 컨셉맵으로 의사 소통 나누는 모습

3장 자신을 알다: 강점과 관심 분야 탐색

[3.1 나의 강점 파악하기]

강점은 자신이 잘하는 일이며, 이를 통해 성취감을 느끼고, 행복을 경험할 수 있습니다. 또한, 강점을 바탕으로 자신의 진로를 설정하고, 이를 달성할 수 있습니다.

진로 탐색에서도 강점 파악은 매우 중요합니다. 강점을 파악하면, 자신의 적성과 관심 분야를 발견하고, 이를 바탕으로 진로를 탐색할 수 있습니다. 또한, 강점을 바탕으로 자신의 경쟁력을 키우고, 직업에서 성공할 수 있습니다.

나의 강점 파악 방법

나의 강점을 파악하는 방법은 다음과 같습니다. 첫째, **자기 분석입니다.** 먼저, 자신의 과거 경험을 되돌아보고, 자신이 잘하는 일과 어려워하는 일을 생각해보세요. 또한, 자신의 성격, 가치관, 관심 분야 등을 고려하여, 자신의 강점을 파악하세요. 둘째, **타인의 피드백입니다.** 가족, 친구, 선생님 등 주변 사람들에게 자신의 강점에 대해 피드백을 요청하세요. 타인의 피드백을 통해, 자신의 강점을 새로운 시각으로 바라볼 수 있습니다. 셋째, **검사 도구 활용입니다**. 강점 검사 도구를 활용하여, 자신의 강점을 체계적으로 파악할 수 있습니다. 다양한 강점 검사 도구가 있으므로, 자신의 상황에 맞는 도구를 선택하여 사용하세요.

강점 파악의 팁

나의 강점을 파악하는 데 도움이 되는 팁을 몇 가지 소개합니다. 첫째, **객관적이고 현실적으로 생각하세요**. 자신의 강점을 파악할 때는, 객관적이고 현실적으로 생각하세요. 자신의 강점을 과대평가하거나, 과소평가하지 않도록 주의하세요. 둘째, **구체적인 사례를 들어보세요**. 강점을 파악할 때는, 구체적인 사례를 들어보세요. 자신이 잘한 일이나, 성취감을 느낀 일을 떠올려보세요. 셋째, **꾸준히 노력하세요**. 강점은 한 번에 파악하기 어렵습니다. 꾸준히 노력하여, 자신의 강점을 발견하고, 이를 발전시켜 나가세요.

나의 강점을 파악하는 것은 진로 탐색에 있어 매우 중요한 과정입니다. 나의 강점을 파악하여, 자신의 적성과 관심 분야를 발견하고, 이를 바탕으로 진로를 설정하고, 이를 달성하세요. 다음은 나의 강점 파악을 위한 구체적인 질문들입니다.

나는 어떤 일을 잘하는가?

나는 어떤 일을 할 때 성취감을 느끼는가?

나는 어떤 일을 할 때 다른 사람들로부터 칭찬을 받는가?

나는 어떤 일을 할 때 시간을 잊고 몰입하는가?

나는 어떤 일을 할 때 내 자신이 특별하다고 느끼는가?

이러한 질문들에 대해 답변하면서, 자신의 강점을 파악할 수 있습니다.

[3.2 다양한 관심 분야 탐색]

자신의 강점을 활용하여 목표를 달성하기 위해서는 다양한 분야에 대한 폭넓은 관심과 이해가 필요합니다. 이 장에서는 독자들이 다양한 관심 분야를 탐색하고 그 중에서 자신에게 적합한 분야를 찾아내는 방법에 대해 탐험합니다. 실제 예시를 통해 독자들이 어떻게 다양한 경험을 통해 새로운 관심 분야를 발견하고 활용할 수 있는지를 안내합니다.

다양한 활동을 통한 관심 분야 찾기

자신의 강점과 관련된 분야 뿐만 아니라 다양한 활동을 통해 새로운 관심 분야를 찾을 수 있습니다. 독자들은 예를 들어 취미, 독서, 새로운 기술의 습득, 예술 등 여러 가지 다양한 활동을 시도 해봄으로써 자신에게 흥미로운 분야를 발견하고, 각 활동을 통해 발휘된 강점을 확인합니다. 이를 통해 다양한 경험을 통해 얻은 흥미를 기반으로 자신만의 독특한 강점을 발전시킬 수 있습니다.

멘토와의 소통을 통한 분야 확장

자신의 강점을 기반으로 한 분야에서 더 나아가고자 할 때, 멘토와의 소통은 중요한 역할을 합니다. 독자들은 자신의 강점과 목표를 멘토에게 소개하고, 멘토로부터 다양한 분야에서의 조언과 경험을 듣습니다. 멘토의 조언을 통해 독자들은 자신이 생각하지 못했던 새로운 분야에 대한 관심을 키우고, 강점을 발전시킬 수 있는 기회를 찾습니다. 멘토의 지도를 받으면서 다양한 분야에 대한 지식과 경험을 쌓아 나감으로써 자신의 역량을 더욱 향상시킬 수 있습니다.

네트워킹을 통한 분야 간 연결

다양한 분야에서의 관심을 탐색하고자 할 때, 네트워킹은 큰 도움이 됩니다. 독자들은 다양한 사람들과 소통하고 이야기를 나누는 행사, 세미나, 워크샵 등을 통해 다양한 분야에서의 전문가들과 만남으로써 새로운 관점을 얻을 수 있습니다. 네트워킹을 통해 다른 분야의 전문가 들과의 소통을 통해 자신의 강점을 다양한 분야에 적용하고, 이를 통해 새로운 도전과 경험을 쌓아 나갑니다.

이렇게 다양한 활동을 통한 분야 발견, 멘토와의 소통을 통한 분야 확장, 그리고 네트워킹을 통한 분야 간 연결에 대해 다양한 예시와 함께 상세히 설명하여 독자들이 자신의 강점을 다양한 분야에 활용할 수 있습니다.

[3.3 컨셉맵으로 자아 이해하기]

컨셉맵을 활용하여 자아를 이해하는 방법은 다음과 같습니다. 첫째, 자신의 강점과 관심 분야를 파악하세요. 자신의 강점과 관심 분야는 자신의 자아를 이해하는 데 중요한 요소입니다. 강점과 관심 분야를 파악하면, 자신의 적성과 가치관을 발견할 수 있습니다. 둘째, 자신의 성격과 가치관을 파악하세요. 자신의 성격과 가치관은 자신의 행동과 생각에 영향을 미치는 요소입니다. 성격과 가치관을 파악하면, 자신의 행동과 생각을 이해할 수 있습니다. 셋째, 자신의 경험과 목표를 파악하세요. 자신의 경험과 목표는 자신의 자아를 형성하는 데 중요한 요소입니다. 경험과 목표를 파악하면, 자신의 삶의 방향성을 이해할 수 있습니다. 넷째, 자신의 관계와 영향을 파악하세요. 자신의 관계와 영향은 자신의 자아를 이해하는 데 중요한 요소입니다. 관계와 영향을 파악하면, 자신의 삶에 영향을 미치는 요소들을 이해할 수 있습니다.

컨셉맵으로 자아 이해하기의 효과

컨셉맵으로 자아를 이해하면 다음과 같은 효과를 기대할 수 있습니다. 첫째, **자아에 대한 이해가 높아집니다**. 컨셉맵을 통해, 자신의 강점과 관심 분야, 성격과 가치관, 경험과 목표, 관계와 영향을 체계적으로 정리할 수 있습니다. 이를 통해, 자신의 자아에 대한 이해가 높아질 수 있습니다. 둘째, **자아 정체감이 확립됩니다.**

자아 정체감은 자신의 자아에 대한 확신과 안정감을 말합니다. 컨셉맵을 통해, 자신의 자아에 대한 이해가 높아지면, 자아 정체감이 확립될 수 있습니다. 셋째, 진로 설정이 용이 해집니다. 자아 이해를 바탕으로, 자신의 적성과 가치관에 맞는 진로를 설정할 수 있습니다.

컨셉맵으로 자아 이해하기의 팁

컨셉맵으로 자아를 이해하는 데 도움이 되는 팁을 몇 가지 소개합니다. 첫째, **자신의 생각을 구체적으로 표현하세요.** 컨셉맵은 개념과 개념 간의 관계를 표현하는 도구입니다. 따라서, 자신의 생각을 구체적으로 표현하는 것이 중요합니다. 둘째, **관계를 명확히 하세요.** 개념 간의 관계를 명확히 하면, 자신의 생각을 더 이해하기 쉽게 할 수 있습니다. 셋째, **꾸준히 수정하고 업데이트하세요.** 자아는 시간이 지남에 따라 변화합니다. 따라서, 컨셉맵을 꾸준히 수정하고 업데이트하여, 자신의 자아를 정확하게 이해할 수 있도록 노력하세요. 컨셉맵으로 자아를 이해하는 것은 진로 탐색에 있어 매우 효과적인 방법입니다. 컨셉맵을 활용하여, 자신의 자아를 이해하고, 이를 바탕으로 진로를 설정하고, 이를 달성하세요.

다음은 컨셉맵으로 자아 이해를 위한 구체적인 질문들입니다.

나의 강점은 무엇인가?

나의 관심 분야는 무엇인가?

나의 성격은 어떤가?

나의 가치관은 무엇인가?

나의 경험은 어떤가?

나의 목표는 무엇인가?

나의 관계는 어떤가?

자아의 강점과 약점 시각화

컨셉맵은 자아의 강점과 약점을 시각화하는 데에도 유용합니다. 독자들은 자신의 강점과 약점을 맵의 다른 영역에 나누어 표현함으로써 뚜렷한 시각적 표현을 얻을 수 있습니다. 이를 통해 강점을 활용하여 목표를 달성하는 방법을 모색하고, 약점을 보완하는 데 필요한 노력을 계획합니다. 강점과 약점을 명확히 시각화함으로써 목표를 향해 나아가는 데에 필요한 자원과 노력을 효율적으로 관리할 수 있습니다.

목표와 자아의 일치 여부 확인

컨셉맵을 활용하여 독자들은 세운 목표와 자아 간의 일치 여부를 확인할 수 있습니다. 목표를 달성함으로써 자아의 핵심 가치와 일치하는지 여부를 컨셉맵을 통해 시각적으로 확인함으로써, 목표를 향해 나아가는 과정에서 자아의 무형적인 만족감을 높일 수 있습니다. 또한, 목표와 자아가 일치하지 않을 경우에는 어떻게 조정해 나갈지에 대한 계획을 세우고 수정해 나갈 수 있습니다.

이처럼 컨셉맵을 활용하여 자아의 핵심 가치 도출, 강점과 약점의 시각화, 목표와 자아의 일치 여부 확인에 대한 다양한 예시와 함께 상세히 설명하여 독자들이 목표를 세우고 이를 향해 나아가는 과정에서 자아를 깊이 이해하고 활용하는 방법을 안내합니다.

Lasco.ai로 그린 이미지 : 자아의 강점과 약점 시각화, 목표와 자아의 일치 여부 확인를 형의상학 적으로 표현한 이미지.

4장 진로의 방향 찾기: 다양한 진로 옵션 탐험

[4.1 전통적인 진로 옵션]

전통적인 진로 옵션은 일반적으로 대학에 진학하여, 학위를 취득하고, 취업하는 진로를 말합니다. 전통적인 진로 옵션은 한국 사회에서 일반적으로 선호되는 진로 옵션 중 하나입니다.

전통적인 진로 옵션의 장점

전통적인 진로 옵션의 장점은 다음과 같습니다. 첫째, **사회적으로 인정받는 진로입니다**. 대학에 진학하여, 학위를 취득하고, 취업하는 것은 사회적으로 인정받는 진로입니다. 이는 취업, 승진, 연봉 등에서 유리한 위치를 차지할 수 있다는 것을 의미합니다. 둘째, **안정적인 진로입니다**. 전통적인 진로 옵션은 비교적 안정적인 진로입니다. 이는 정규직으로 취업하여, 안정적인 수입을 얻을 수 있다는 것을 의미합니다. 셋째, **경력 개발이 가능합니다**. 대학에서 전공을 선택하고, 이를 바탕으로 취업하면, 해당 분야에서 경력을 개발할 수 있습니다. 이는 전문성을 키우고, 더 높은 수준의 직업을 얻을 수 있다는 것을 의미합니다.

전통적인 진로 옵션의 단점

전통적인 진로 옵션의 단점은 다음과 같습니다. 첫째, **시간과 비용이 소요됩니다.** 대학에 진학하여, 학위를 취득하고, 취업하기 위해서는 시간과 비용이 소요됩니다. 이는 학업, 취업 준비, 직장 생활 등에서 많은 노력과 시간 투자가 필요하다는 것을 의미합니다. 둘째, **개인의 적성과 가치관에 맞지 않을 수 있습니다**. 대학에서 전공을 선택하고, 이를 바탕으로 취업하는 것은 개인의 적성과 가치관에 맞지 않을 수 있습니다. 이는 직장에서 불만족을 느끼거나, 이직을 반복하게 될 수 있다는 것을 의미합니다. 셋째, **사회 변화에 따라 불안정할 수 있습니다**. 사회 변화에 따라, 전통적인 진로 옵션의 가치가 하락할 수 있습니다. 이는 취업난, 직업 만족도 하락, 이직 증가 등과 같은 문제로 이어질 수 있습니다.

전통적인 진로 옵션의 전망

전통적인 진로 옵션의 전망은 다음과 같습니다. 첫째, **전반적으로 안정적일 것으로 예상됩니다**. 전통적인 진로 옵션은 사회적으로 인정받고, 안정적인 진로입니다. 따라서, 향후에도 전반적으로 안정적인 전망을 보일 것으로 예상됩니다. 둘째, **사회 변화에 따라 새로운 진로 옵션이 증가할 것으로 예상됩니다.** 사회 변화에 따라, 새로운 직업과 직업군이 등장하고 있습니다. 따라서, 전통적인 진로 옵션을 보완하는 새로운 진로 옵션이 증가할 것으로 예상됩니다.

전통적인 진로 옵션을 선택하는 경우 고려해야 할 사항

전통적인 진로 옵션을 선택하는 경우 고려해야 할 사항은 다음과 같습니다. 첫째, **자신의 적성과 가치관을 파악하세요.** 전통적인 진로 옵션은 개인의 적성과 가치관에 맞는 진로여야 합니다. 따라서, 자신의 적성과 가치관을 파악하고, 이를 바탕으로 진로를 설정하세요. 둘째, **사회 변화에 대한 대비를 하세요.** 사회 변화에 따라, 전통적인 진로 옵션의 가치가 하락할 수 있습니다. 따라서, 사회 변화에 대한 대비를 하고, 새로운 진로 옵션을 함께 고려하세요. 셋째, **실질적인 경험을 쌓으세요**. 전통적인 진로 옵션을 선택하기 전에, 해당 분야에 대한 실질적인 경험을 쌓으세요. 이는 자신의 적성과 가치관을 확인하고, 진로에 대한 확신을 얻는 데 도움이 될 수 있습니다.

전통적인 진로 옵션은 한국 사회에서 일반적으로 선호되는 진로 옵션 중 하나입니다. 따라서, 전통적인 진로 옵션을 고려하고 있다면, 위의 사항들을 고려하여, 신중하게 결정하세요. 전통적인 진로 옵션은 학문이나 직업에 대한 전통적인 관념에 기반한 선택지를 의미합니다. 이 장에서는 독자들이 전통적인 진로 옵션을 고려하고 선택하는 과정에서 고려해야 할 다양한 측면에 대해 다룹니다.

학문적 진로 옵션:

전통적으로 대부분의 학생들은 대학 진학을 고려합니다. 이는 고등학교를 졸업한 후 대학으로 진학하여 학문적인 지식을 습득하고, 해당 분야에서 전문가로 성장하는 것을 목표로 합니다. 독자들은 자신의 흥미와 능력에 기반하여 어떤 학문적 분야에 진로를 꾸준히 나아가야 하는지 고민하게 됩니다. 또한, 대학 진학 외에도 전문 직업 학교나 예술 학교 등 다양한 학문적 옵션을 고려할 수 있습니다.

직업적 진로 옵션:

일부 학생들은 대학 진학이 아닌 직업 훈련 과정이나 직업 학교를 통해 취업을 선택합니다. 기술 직종, 서비스 업무, 미술 및 디자인 등 다양한 직업적 분야에서 자기 계발을 통해 전문적인 역량을 쌓고 진로를 선택합니다. 이는 학문적인 경로 외에도 성공적이고 안정된 직업 생활을 구축하는 데에 유용한 선택지입니다. 독자들은 자신이 원하는 직업 분야와 그에 따른 필요한 역량을 고려하여 진로를 결정합니다.

창업과 자영업:

일부 독자들은 자신의 비전과 창의성을 기반으로 창업이나 자영업을 고려할 수 있습니다. 전통적인 진로에서 벗어나 독자적으로 사업을 창출하고 운영하는 것은 독립성과 창의성을 펼치는 좋은 방법입니다. 독자들은 창업의 가능성과 그에 따른 리스크를 심층적으로 고려하며, 자영업이나 창업이 자신의 비전과 목표에 부합하는지를 평가합니다.

관련 분야의 산업 연구 및 연수

전통적인 진로 외에도 독자들은 산업 현장에서의 연구나 실무 경험을 통해 직접적인 지식을 쌓을 수 있는 옵션을 고려할 수 있습니다. 관련 분야의 기업이나 연구소에서의 연수, 현장 실습을 통해 독자들은 실무적인 경험을 획득하고 전문적인 지식을 쌓아 나갈 수 있습니다.

[4.2 현대적이고 미래 지향적인 진로]

현대적이고 미래 지향적인 진로는 사회 변화에 따라 새롭게 등장하거나, 기존 진로가 변화한 진로를 말합니다. 현대적이고 미래 지향적인 진로는 다음과 같은 특징을 가지고 있습니다. 첫째, 새로운 기술과 아이디어를 기반으로 합니다. 둘째, 사회 변화에 대한 적응력이 뛰어납니다. 셋째, 개인의 창의성과 역량을 발휘할 수 있습니다. 현대적이고 미래 지향적인 진로는 다음과 같은 예시를 들 수 있습니다.

IT, 인공지능, 빅데이터 등 첨단 기술 관련 직업

환경, 에너지, 지속가능성 등 사회 문제 해결 관련 직업

창업, 프리랜서 등 자기 주도적 경력 개발이 가능한 직업

현대적이고 미래 지향적인 진로의 전망

현대적이고 미래 지향적인 진로는 향후 더욱 증가할 것으로 예상됩니다. 이는 다음과 같은 이유 때문입니다.

첫째, 사회가 더욱 복잡해지고, 변화의 속도가 빨라지고 있습니다. 둘째, 새로운 기술과 아이디어가 등장하고, 기존 산업이 변화하고 있습니다.

셋째, 개인의 창의성과 역량을 중시하는 경향이 증가하고 있습니다. 현대적이고 미래 지향적인 진로를 선택하는 경우 고려해야 할 사항은 다음과 같습니다. 첫째, 사회 변화에 대한 이해가 필요합니다. 둘째, 새로운 기술과 아이디어에 대한 관심이 필요합니다. 셋째, 자신의 창의성과 역량을 발휘할 수 있는 분야인지 확인해야 합니다. 현대적이고 미래 지향적인 진로를 위한 준비는 다음과 같습니다. 첫째, 사회 변화에 대한 이해를 높이세요. 둘째, 새로운 기술과 아이디어에 대한 지식을 쌓으세요. 셋째, 창의성과 역량을 키우는 활동에 참여하세요. 현대적이고 미래 지향적인 진로는 개인의 적성과 가치관에 맞는다면, 매우 매력적인 진로 옵션이 될 수 있습니다. 따라서, 현대적이고 미래 지향적인 진로를 고려하고 있다면, 위의 사항들을 고려하여, 신중하게 준비하세요.

현대적이고 미래 지향적인 진로의 예시와 전망을 구체적으로 설명하겠습니다.

IT, 인공지능, 빅데이터 등 첨단 기술 관련 직업

IT, 인공지능, 빅데이터 등 첨단 기술은 사회 전반에 걸쳐 빠르게 확산되고 있습니다. 따라서, 이러한 기술을 기반으로 하는 직업은 향후 더욱 증가할 것으로 예상됩니다. 구체적인 예시로는 소프트웨어 개발자, 데이터 사이언티스트, 인공지능 엔지니어, 정보 보안 전문가 등이 있습니다. 이러한 직업은 높은 기술력과 창의력이 요구되며, 높은 연봉과 안정적인 고용 환경을 제공합니다.

환경, 에너지, 지속가능성 등 사회 문제 해결 관련 직업

환경, 에너지, 지속가능성 등 사회 문제는 전 세계적으로 중요한 화두입니다. 이러한 사회 문제 해결에 기여하는 직업은 향후 더욱 주목받을 것으로 예상됩니다.

구체적인 예시로는 환경 엔지니어, 에너지 전문가, 지속가능성 전문가 등이 있습니다. 이러한 직업은 사회에 기여할 수 있다는 보람과 함께, 다양한 분야에서 일할 수 있는 기회를 제공합니다.

창업, 프리랜서 등 자기 주도적 경력 개발이 가능한 직업

개인의 창의성과 역량을 발휘할 수 있는 직업은 향후 더욱 각광받을 것으로 예상됩니다. 이러한 직업은 일반적인 직장 생활과는 달리, 자신의 능력과 성과에 따라 보상이 결정됩니다. 구체적인 예시로는 창업가, 프리랜서, 전문직 등이 있습니다. 이러한 직업은 자신의 꿈과 열정을 실현할 수 있는 기회를 제공합니다.

현대 사회에서는 빠르게 변화하는 기술과 산업 환경에 대응하며, 미래에 대비한 진로 선택이 중요합니다. 현대 사회의 동향을 반영하고 미래에 유망한 분야를 고려하여 진로를 선택하는 데에 도움이 되는 내용을 다룹니다.

[4.3 컨셉맵을 활용한 진로 선택]

컨셉맵을 활용하여 진로를 선택하는 방법은 다음과 같습니다. 첫째, 자신의 강점과 관심 분야를 파악하세요. 컨셉맵을 활용하여, 자신의 강점과 관심 분야를 파악할 수 있습니다. 이를 위해, 자신의 과거 경험, 성격, 가치관 등을 고려하여, 자신의 강점과 관심 분야를 컨셉맵으로 표현하세요. 둘째, 진로에 대한 정보를 수집하세요. 셋째, 컨셉맵을 활용하여, 진로에 대한 정보를 수집할 수 있습니다. 이를 위해, 직업 탐색 사이트, 책, 잡지, 영상 등을 통해, 다양한 직업에 대한 정보를 수집하고, 이를 컨셉맵으로 표현하세요. 넷째, 진로에 대한 자신의 생각을 정리하세요. 컨셉맵을 활용하여, 진로에 대한 자신의 생각을 정리할 수 있습니다. 이를 위해, 자신의 강점과 관심 분야, 진로에 대한 정보를 바탕으로, 자신의 진로에 대한 생각을 컨셉맵으로 표현하세요.

컨셉맵을 활용한 진로 선택의 효과

컨셉맵을 활용하여 진로를 선택하면 다음과 같은 효과를 기대할 수 있습니다. 첫째, 진로에 대한 이해가 높아집니다. 컨셉맵을 통해, 자신의 강점과 관심 분야, 진로에 대한 정보를 체계적으로 정리할 수 있습니다. 이를 통해, 진로에 대한 이해가 높아질 수 있습니다. 둘째, 진로 결정이 용이 해집니다. 컨셉맵을 통해, 자신의 강점과 관심 분야, 진로에 대한 정보를 바탕으로, 자신의 진로에 대한 생각을 정리할 수 있습니다. 이를 통해, 진로 결정이 용이해질 수 있습니다. 셋째, 진로에 대한 확신이 생깁니다. 컨셉맵을 통해, 자신의 강점과 관심 분야, 진로에 대한 정보를 바탕으로, 자신의 진로에 대한 생각을 정리할 수 있습니다. 이를 통해, 진로에 대한 확신이 생길 수 있습니다.

컨셉맵을 활용한 진로 선택의 팁

컨셉맵을 활용하여 진로를 선택하는 데 도움이 되는 팁을 몇 가지 소개합니다. 첫째, **자신의 생각을 구체적으로 표현하세요**. 컨셉맵은 개념과 개념 간의 관계를 시각적으로 표현하는 도구입니다. 따라서, 자신의 생각을 구체적으로 표현하는 것이 중요합니다. 둘째, 관계를 명확히 하세요. 셋째, **개념 간의 관계를 명확히 하면, 자신의 생각을 더 이해하기 쉽게 할 수 있습니다**. 넷째, **꾸준히 수정하고 업데이트하세요**. 자신의 생각은 시간이 지남에 따라 변화합니다. 따라서, 컨셉맵을 꾸준히 수정하고 업데이트하여, 자신의 생각을 정확하게 표현할 수 있도록 노력하세요.

컨셉맵을 활용하여 진로를 선택하는 것은 매우 효과적인 방법입니다. 컨셉맵을 활용하여, 자신의 강점과 관심 분야, 진로에 대한 정보를 체계적으로 정리하고, 이를 바탕으로 자신의 진로에 대한 생각을 정리하세요.

Lasco.ai로 그린 이미지 : 컨셉맵으로 진로에 대해 그린 것을 친구와 공유하며 의견을 나누는 모습

5장 학생학부모 협업: 효과적인 소통 전략

[5.1 열린 소통의 중요성]

열린 소통은 상대방의 입장을 이해하고, 자신의 생각을 솔직하게 표현하는 소통을 말합니다. 열린 소통은 다음과 같은 특징을 가지고 있습니다. 첫째, 상대방의 입장을 이해하려는 노력을 합니다. 둘째, 자신의 생각을 솔직하게 표현합니다. 셋째, 상호 존중을 바탕으로 합니다. 열린 소통의 중요성은 관계 형성에 도움이 되며, 문제 해결 및 창의력과 혁신에 도움이 됩니다.

열린 소통을 위한 방법

열린 소통을 위해서는 다음과 같은 방법을 실천할 수 있습니다.

경청을 통해 상대방의 입장을 이해하려고 노력하세요.

자신의 생각을 명확하게 표현하세요.

상호 존중의 자세를 가지세요.

열린 소통의 팁

열린 소통을 위한 구체적인 팁을 몇 가지 소개합니다.

질문을 통해 상대방의 생각을 파악하세요.

자신의 생각을 객관적으로 표현하세요.

감정적인 표현을 자제하세요.

열린 소통은 개인의 삶과 사회의 발전에 모두 중요한 요소입니다. 열린 소통을 통해, 서로 이해하고, 협력하며, 더 나은 미래를 만들어 가세요. 열린 소통의 중요성을 구체적으로 살펴보겠습니다. 첫째, 열린 소통은 관계 형성에 도움이 됩니다. 열린 소통을 통해, 상대방의 입장을 이해하고, 자신의 생각을 솔직하게 표현함으로써, 서로에 대한 신뢰와 이해를 쌓을 수 있습니다. 이는 관계 형성에 긍정적인 영향을 미칩니다. 둘째, 열린 소통은 문제 해결에 도움이 됩니다. 문제가 발생했을 때, 열린 소통을 통해, 서로의 입장을 이해하고, 다양한 의견을 공유함으로써, 보다 효과적인 문제 해결을 도모할 수 있습니다. 셋째, 열린 소통은 창의력과 혁신에 도움이 됩니다. 열린 소통을 통해, 다양한 생각과 아이디어를 교환함으로써, 새로운 시각과 해결책을 발견할 수 있습니다. 이는 창의력과 혁신에 긍정적인 영향을 미칩니다. 열린 소통은 개인의 삶과 사회의 발전에 모두 중요한 요소입니다. 열린 소통을 통해, 서로 이해하고, 협력하며, 더 나은 미래를 만들어 가세요.

[5.2 학부모의 역할과 기대]

학부모는 자녀의 교육과 성장에 있어 중요한 역할을 합니다. 학부모의 역할은 다음과 같이 크게 나눌 수 있습니다. 첫째, **자녀의 정서적 지지입니다.** 자녀의 정서적 지지란, 자녀의 기쁨과 슬픔, 성공과 실패 등을 함께 공유하고, 자녀의 감정을 이해하고, 자녀의 자존감을 키워주는 역할을 말합니다. 둘째, **자녀의 학습 지도입니다.** 자녀의 학습 지도란, 자녀의 학습에 관심을 가지고, 자녀의 학습 능력을 향상시키기 위해 돕는 역할을 말합니다. 셋째, **자녀의 사회성 발달입니다.** 자녀의 사회성 발달이란, 자녀가 다른 사람과 잘 어울리고, 사회에서의 역할을 잘 수행할 수 있도록 돕는 역할을 말합니다.

학부모는 자녀에게 다음과 같은 기대를 가지고 있습니다. 첫째, **성적 향상입니다.** 학부모는 자녀가 학교에서 좋은 성적을 거두기를 기대합니다. 이는 자녀의 성공과 행복을 위해서 중요하다고 생각하기 때문입니다. 둘째, **품성 함양입니다.** 학부모는 자녀가 바른 품성을 갖추기를 기대합니다. 이는 자녀가 사회에서 올바른 인격체로 살아가기 위해서 중요하다고 생각하기 때문입니다. 셋째, **자립심 기르는 것입니다.** 학부모는 자녀가 스스로 문제를 해결하고, 자립할 수 있기를 기대합니다. 이는 자녀가 자신의 삶을 책임감 있게 살아가기 위해서 중요하다고 생각하기 때문입니다.

학부모의 역할과 기대의 균형

학부모의 역할과 기대는 서로 밀접하게 연결되어 있습니다. 학부모가 자녀의 정서적 지지를 잘 해준다면, 자녀는 학습에 집중하고, 사회성도 잘 발달할 수 있습니다. 반대로, 학부모가 자녀의 학습에만 집중한다면, 자녀는 정서적으로 불안정해지고, 사회성도 부족해질 수 있습니다. 따라서, 학부모는 자녀의 정서적 지지, 학습 지도, 사회성 발달에 모두 관심을 가지고, 균형 잡힌 역할을 해야 합니다.

학부모의 역할과 기대에 대한 구체적인 실천 방안

학부모는 다음과 같은 구체적인 실천 방안을 통해, 자녀의 정서적 지지, 학습 지도, 사회성 발달에 기여할 수 있습니다. 첫째, **자녀와 자주 대화합니다.** 자녀와 자주 대화를 통해, 자녀의 생각과 감정을 이해하고, 자녀의 고민을 함께 나누세요. 둘째, **자녀의 학습에 관심을 가집니다.** 자녀의 학습에 관심을 갖고, 자녀의 학습에 도움이 되는 활동을 함께 하세요. 셋째, **자녀에게 다양한 경험을 제공합니다.** 자녀에게 다양한 경험을 제공하여, 자녀의 사회성을 발달시키세요.

학부모는 자녀의 교육과 성장에 있어 중요한 역할을 합니다. 학부모는 자녀의 정서적 지지, 학습 지도, 사회성 발달에 모두 관심을 가지고, 균형 잡힌 역할을 해야 합니다. 이를 통해, 자녀가 건강하게 성장하고, 행복한 삶을 살 수 있도록 도와주세요. 학부모의 역할과 기대에 대한 구체적인 실천 방안에 대한 몇 가지 추가적인 팁을 소개합니다.

자녀와 대화할 때는 열린 마음을 가지고, 자녀의 생각을 존중하세요.

자녀의 학습에 대한 기대를 지나치게 높게 두지 마세요.

자녀에게 다양한 경험을 제공할 때는, 자녀의 관심과 흥미를 고려하세요.

학부모의 역할과 기대는 시대에 따라 변화하고 있습니다. 학부모는 자녀의 변화에 맞춰, 자신의 역할을 끊임없이 고민하고, 발전시켜야 합니다.

Lasco.ai로 그린 이미지 : 딸과 엄마간의 소통하는 모습

[5.3 컨셉맵으로 소통 강화하기]

컨셉맵은 소통을 강화하는 데 도움이 되는 도구입니다. 컨셉맵을 활용하면 다음과 같은 효과를 기대할 수 있습니다. 첫째, 상호 이해 증진입니다. 컨셉맵을 통해, 상대방의 생각과 관점을 이해하고, 자신의 생각을 명확하게 표현할 수 있습니다. 이를 통해, 상호 이해가 증진될 수 있습니다. 둘째, 효과적인 의사소통입니다. 컨셉맵을 통해, 복잡한 정보를 간결하고 명확하게 전달할 수 있습니다. 이를 통해, 효과적인 의사소통이 가능해집니다. 셋째, 창의적 사고와 문제 해결입니다. 컨셉맵을 통해, 다양한 관점에서 문제를 바라보고, 새로운 해결책을 모색할 수 있습니다. 이를 통해, 창의적 사고와 문제 해결이 가능해집니다.

컨셉맵을 활용한 소통 강화 방법

컨셉맵을 활용하여 소통을 강화하기 위해서는 다음과 같은 방법을 실천할 수 있습니다. 첫째, 컨셉맵을 활용한 대화입니다. 컨셉맵을 활용하여 대화를 하면, 상대방의 생각과 관점을 더 잘 이해할 수 있습니다. 이를 위해, 대화의 주제에 대한 컨셉맵을 미리 만들어 두고, 대화 중에 컨셉맵을 참고하여 대화를 진행하세요.

둘째, 컨셉맵을 활용한 발표를 합니다.. 컨셉맵을 활용하여 발표를 하면, 복잡한 정보를 간결하고 명확하게 전달할 수 있습니다. 이를 위해, 발표할 내용에 대한 컨셉맵을 만들어 두고, 발표 중에 컨셉맵을 참고하여 발표하세요. 셋째, 컨셉 맵을 활용한 협업을 합니다. 컨셉맵을 활용하여 협업을 하면, 다양한 관점에서 문제를 바라보고, 새로운 해결책을 모색할 수 있습니다. 이를 위해, 협업할 주제에 대한 컨셉맵을 함께 만들어 가세요.

컨셉맵을 활용한 소통 강화 팁

컨셉맵을 활용한 소통 강화를 위한 구체적인 팁을 몇 가지 소개합니다. 첫째, 컨셉맵을 간결하고 명확하게 작성하세요. 컨셉맵은 복잡한 정보를 간결하고 명확하게 표현하는 것이 중요합니다. 이를 위해, 핵심 개념과 관계만을 포함하도록 하세요. 둘째, 컨셉맵을 시각적으로 효과적으로 표현하세요. 컨셉맵은 시각적으로 효과적으로 표현하는 것이 중요합니다. 이를 위해, 색상, 아이콘, 도형 등을 활용하여 시각적 효과를 높여 주세요. 셋째, 컨셉맵을 지속적으로 업데이트하세요. 컨셉맵은 지속적으로 업데이트하는 것이 중요합니다. 이를 통해, 컨셉맵이 항상 최신 정보를 반영할 수 있도록 하세요.

컨셉맵은 소통을 강화하는 데 효과적인 도구입니다. 컨셉맵을 활용하여, 상호 이해 증진, 효과적인 의사소통, 창의적 사고와 문제 해결을 실현하세요. 컨셉맵으로 학생의 성장과 발전 이해하며, 컨셉맵을 활용한 목표 공유와 협력을 통해, 컨셉맵을 활용한 어려움 해결 전략을 시도해 볼 수 있으며, 컨셉맵을 활용한 학습 계획 수립으로 학생의 학업에 대한 명확한 방향성을 제시합니다. 컨셉맵을 활용하여 학생과 학부모가 함께 학습 목표를 세우고, 그 목표를 달성하기 위한 계획을 수립하여, 학부모의 지원이 학생의 학습 동기를 높이고 효율적인 학습 환경을 조성하는데 큰 기여를 합니다.

Lasco.ai로 그린 이미지 : 학생과 학부모가 진로 고민을 컨셉맵 도구를 활용해서 소통하는 모습

6장 대학 생활: 전공 선택과 미래 계획

[6.1 전공 선택의 중요성]

전공은 대학에서 배우는 학문 분야를 말합니다. 전공은 크게 인문, 사회, 자연, 공학, 의학 등 5가지 분야로 구분할 수 있습니다. 전공 선택은 개인의 삶에 큰 영향을 미치는 중요한 결정입니다. 전공 선택은 다음과 같은 이유로 중요합니다. 첫째, 진로 결정에 영향을 미칩니다. 전공은 진로 결정에 중요한 영향을 미칩니다. 전공에 따라 취업할 수 있는 분야와 직업이 달라지기 때문입니다. 둘째, 지식과 기술을 습득하는 데 영향을 미칩니다. 전공을 통해, 해당 분야의 지식과 기술을 습득할 수 있습니다. 이는 개인의 역량을 개발하고, 사회에 기여할 수 있는 능력을 갖추는 데 도움이 됩니다. 셋째, 가치관 형성에 영향을 미칩니다. 전공을 통해, 해당 분야의 가치관을 접하고, 자신의 가치관을 형성할 수 있습니다. 이는 개인의 삶의 방향을 설정하는 데 도움이 됩니다.

전공 선택을 위한 고려 사항

전공 선택을 위해서는 다음과 같은 사항을 고려해야 합니다. 첫째, 자신의 적성과 흥미입니다. 전공은 자신의 적성과 흥미에 맞는 분야를 선택하는 것이 중요합니다. 이는 전공 공부에 대한 흥미와 성취감을 높이고, 진로에 대한 만족도를 높여주기 때문입니다. 둘째, 사회 변화와 전망입니다. 전공을 선택할 때는 사회 변화와 전망을 고려하는 것도 중요합니다. 사회 변화에 따라, 수요가 증가하거나 감소하는 전공이 있기 때문입니다. 셋째, 진로 목표입니다. 전공을 선택할 때는 자신의 진로 목표를 고려하는 것도 중요합니다. 자신이 원하는 진로에 필요한 전공을 선택해야 합니다.

전공 선택의 방법

전공 선택을 위해서는 다음과 같은 방법을 활용할 수 있습니다. 먼저, 자기 분석을 합니다. 자신의 적성과 흥미, 가치관 등을 분석하여, 자신에게 적합한 전공을 찾아보는 것이 중요합니다. 그 다음으로 진로 탐색을 합니다. 다양한 직업과 전공에 대한 정보를 탐색하여, 자신의 진로에 대해 구체적인 계획을 세우는 것이 중요합니다. 마지막으로 전문가 상담입니다. 진로 상담 전문가와 상담하여, 자신의 직성과 흥미, 진로 목표 등을 고려한 전공을 추천 받을 수 있습니다.

전공 선택의 팁

전공 선택을 위한 구체적인 팁을 몇 가지 소개합니다. 첫째, 전공에 대한 정보를 충분히 수집하세요. 전공에 대한 정보를 충분히 수집하여, 전공에 대한 이해를 높이세요. 이를 위해,

대학 탐방, 전공 관련 강의 수강, 전공 관련 책과 자료 읽기 등을 활용하세요. 둘째, 전공에 대한 경험을 쌓으세요. 전공에 대한 경험을 쌓아서, 전공에 대한 적성과 흥미를 확인해 보세요. 이를 위해, 인턴십, 봉사활동, 동아리 활동 등을 활용하세요. 셋째, 전공 선택을 유보하세요. 전공 선택에 대해 확신이 서지 않는다면, 전공 선택을 유보하는 것도 좋은 방법입니다. 이를 위해, 복수 전공이나 부전공을 선택하거나, 대학 1학년 때는 전공을 정하지 않고 다양한 전공을 공부해보세요. 전공 선택은 개인의 삶에 큰 영향을 미치는 중요한 결정입니다. 따라서, 전공 선택을 위해서는 충분한 시간을 가지고 신중하게 결정하는 것이 중요합니다.

[6.2 대학 생활의 다양한 경험]

대학 생활은 진로를 탐색하고, 미래를 준비하는 중요한 시기입니다. 이 시기에는 다양한 경험을 통해 자신의 적성과 관심사를 발견하고, 세상을 이해하는 폭을 넓힐 수 있습니다. 대학교에는 다양한 동아리, 학생회, 자원봉사, 공모전, 인턴십 등 다양한 경험의 기회가 제공됩니다. 이러한 기회를 적극적으로 활용하여, 자신의 관심 분야를 탐색하고, 새로운 것을 배우고, 다양한 사람들과 교류하는 것이 중요합니다. 대학 생활의 다양한 경험이 진로 탐색에 도움이 되는 이유는 다음과 같습니다. 첫째, 자신의 적성과 관심사를 발견할 수 있습니다. 동아리, 학생회, 자원봉사, 공모전 등 다양한 활동을 통해 자신의 적성과 관심사를 발견할 수 있습니다. 예를 들어, 동아리 활동을 통해 자신이 좋아하는 분야나 특기를 발견할 수 있고, 학생회 활동을 통해 조직이나 리더십에 대한 관심을 발견할 수 있습니다. 둘째, 세상을 이해하는 폭을 넓힐 수 있습니다. 다양한 경험을 통해 다양한 관점을 배울 수 있고, 세상을 이해하는 폭을 넓힐 수 있다. 예를 들어, 자원봉사 활동을 통해 사회 문제에 대한 관심을 키우고, 인턴십 활동을 통해 직업 세계를 경험할 수 있습니다. 셋째, 자기 계발을 할 수 있습니다. 다양한 경험을 통해 새로운 것을 배우고, 역량을 개발할 수 있습니다. 예를 들어, 공모전 활동을 통해 창의력과 문제 해결 능력을 키울 수 있고, 외국어 공부를 통해 국제 감각을 키울 수 있습니다. 대학 생활의 다양한 경험을 통해 진로 탐색에 도움이 되는 구체적인 방법은 다음과 같습니다. 자신의 관심 분야를 탐색합니다. 동아리, 학생회, 자원봉사, 공모전 등 다양한 활동을 통해 자신의 관심 분야를 탐색합니다. 관심 분야를 탐색하는 데 도움이 되는 구체적인 질문을 몇 가지 생각해 봅니다.

나는 무엇을 좋아하고 잘하는가?

나는 무엇에 관심이 있고, 무엇을 알고 싶은가?

[6.3 컨셉맵으로 대학 생활 계획하기]

컨셉맵을 활용하여 대학 생활 계획을 세울 수 있습니다. 컨셉맵을 활용하면 다음과 같은 효과를 기대할 수 있습니다. 첫째, 목표 설정과 달성입니다. 컨셉맵을 통해, 자신의 목표를 명확하게 설정하고, 목표를 달성하기 위한 구체적인 계획을 세울 수 있습니다. 둘째, 시간 관리입니다. 컨셉맵을 통해, 자신의 시간을 효율적으로 관리하고, 학업, 취미, 활동 등 다양한 분야에서 균형 잡힌 삶을 살 수 있습니다. 셋째, 자기 관리입니다. 컨셉맵을 통해, 자신의 강점과 약점을 파악하고, 자기 관리 능력을 향상시킬 수 있습니다.

컨셉맵을 활용한 대학 생활 계획 방법

컨셉맵을 활용하여 대학 생활 계획을 세우기 위해서는 다음과 같은 방법을 활용할 수 있습니다. 첫째, 자기 분석입니다. 자신의 적성과 흥미, 가치관, 목표 등을 분석하여, 자신의 대학 생활 목표를 설정하세요. 둘째, 정보 수집입니다.대학 생활과 관련된 정보(교과과정, 취업 정보, 동아리 정보 등)를 수집하여, 자신의 계획을 구체화하세요. 셋째, 컨셉맵 작성입니다. 자신의 대학 생활 목표와 계획을 컨셉맵으로 작성하세요.

컨셉맵을 활용한 대학 생활 계획의 팁

컨셉맵을 활용한 대학 생활 계획을 위한 구체적인 팁을 몇 가지 소개합니다. 첫째, 핵심 개념을 중심으로 하세요. 컨셉맵을 작성할 때는 핵심 개념을 중심으로 하세요. 이는 컨셉맵을 이해하고 활용하기 쉽게 합니다. 둘째, 관계를 명확히 하세요. 컨셉맵을 작성할 때는 개념 간의 관계를 명확히 하세요. 이는 컨셉맵을 통해 자신의 생각을 체계적으로 정리하는 데 도움이 됩니다. 셋째, 꾸준히 업데이트하세요. 컨셉맵은 꾸준히 업데이트하세요. 이는 자신의 목표와 계획이 변화함에 따라, 컨셉맵을 통해 이를 반영할 수 있도록 합니다.

[수정된 예시]

목표: 취업

핵심 개념: 취업

관계:

학업 성적 향상

전공 지식 습득

인턴십, 봉사활동 등 경험 쌓기

네트워크 형성

목표: 글로벌 인재

핵심 개념: 글로벌 인재

관계:

영어 실력 향상

해외 유학, 교환 학생 프로그램 참여

국제 행사, 동아리 활동 참여

목표: 자기 계발

핵심 개념: 자기 계발

관계:

독서, 자기 관리

취미 생활

건강 관리

이러한 예시를 참고하여, 자신의 목표와 계획에 맞는 컨셉맵을 작성하세요. 위와 같이 수정하여 작성하였습니다.

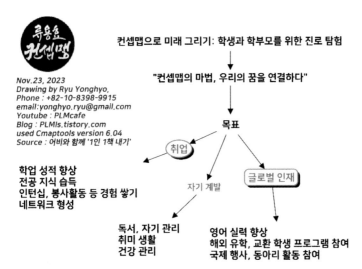

수정된 예시 컨셉맵 샘플 (Map by 류용효)

예시1. 컨셉맵으로 대학 생활 계획하기 - 수의학과

"컨셉맵으로 대학 생활 계획하기"의 수의학과 파트에서는 수의학 전공자들이 대학 생활을 더욱 효과적으로 계획하고 성공적으로 이끌어 나가기 위한 방법에 중점을 둡니다. 수의학은 동물의 질병 예방과 치료를 다루는 중요한 전공 분야로, 이 파트에서는 수의학 전공 학생들이 자신의 목표를 달성하고, 의료 분야에서 더욱 효과적으로 발전할 수 있도록 돕기 위한 다양한 전략을 제시합니다.

수의학 전공의 목표 설정

수의학 전공 학생들은 동물의 건강과 복지를 지키기 위한 전문적인 지식을 배우고자 합니다. 이 장에서는 수의학 전공 학생들이 대학 생활 동안 달성하고자 하는 목표를 명확하게 설정하는 방법과 그 목표를 실현하기 위한 체계적인 계획을 세우는 방법을 다룹니다.

수의학 전공과 타 전공과의 융합

수의학은 다양한 분야와 관련이 있기 때문에, 다른 전공 분야와의 융합은 수의학 전공 학생들에게 큰 장점을 제공합니다. 이 장에서는 수의학 전공 학생들이 다양한 전공과 협업하며 자신의 역량을 더욱 향상시키는 방법과 컨셉맵을 활용하여 이를 시각적으로 표현하는 방법을 설명합니다.

동아리 및 연구 참여

수의학 전공 학생들은 대학 생활을 통해 다양한 동아리나 연구에 참여하여 전공 외적인 경험을 쌓을 수 있습니다. 이 장에서는 동아리 및 연구 참여의 중요성과 어떻게 하면 더욱 효과적으로 참여할 수 있는지에 대해 다양한 예시를 통해 안내합니다.

수의학 분야에서의 경력 계획

수의학 전공 학생들은 대학을 졸업한 후 다양한 분야에서 경력을 쌓을 수 있습니다. 이 장에서는 수의사, 연구원, 산업계 등 다양한 경력 옵션에 대한 정보를 제공하고, 컨셉맵을 활용하여 자신의 진로와 커리어 계획을 명확하게 그릴 수 있는 방법을 소개합니다.

수의학과 진로맵

저의 아들은 대학진학 학과를 고민하다 수의학과에 입학을 하였습니다. 그것을 계기로 수의학과에 입학했을 때, 대학생활은 어떻게 하는 것이 좋으며, 진로를 어떻게 고민해야 하는지에 대해 컨셉맵으로 진로맵을 만들었습니다. 이렇게 만든 진로맵은 본인의 학과 공부 및 미래의 진로 방향에 대해 든든한 의지 및 삶의 등대 역할을 해주어 큰 도움을 주게 됩니다.

여러분도 대학에 진학을 하면 본인에게 적합한 진로맵을 만들어 보세요. 분명 큰 도움이 될 겁니다.

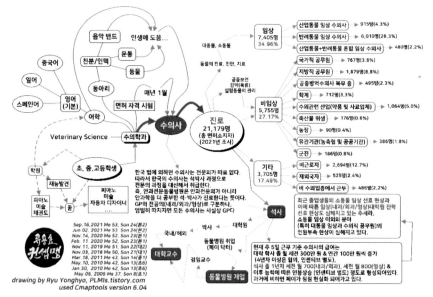

수의학과 진로맵 (Map by 류용효)

예시2. 컨셉맵으로 대학 생활 계획하기 - 실버산업학과

대학 생활은 여러 가능성과 기회로 가득한 특별한 시간입니다. 특히, 실버산업학과에 속한 학생들은 미래의 노년층을 위한 혁신적인 아이디어와 솔루션을 개발하는 동시에 다양한 분야에서 역량을 키워나갑니다. 실버학과는 고려화시대, 시니어비즈니스의 허브 역할을 하며, 시니어금융전문가, 시니어Biz컨설팅전문가, 시니어헬스케어전문가를 양성합니다. 이 장에서는 실버산업학과 학생들이 대학 생활을 계획하고 효과적으로 이끌어 나가기 위해 컨셉맵을 어떻게 활용할 수 있는지 살펴보겠습니다.

전공 수강 계획

컨셉맵을 활용하여 실버산업학과 학생들은 전공 수강 계획을 명확하게 세울 수 있습니다. 다양한 전공 과목들 사이에서 우선순위를 정하고, 어떤 수업이 선수과목으로 필요한지 시각적으로 확인할 수 있습니다. 이를 통해 학생들은 전공 관련 지식을 체계적으로 습득하면서, 자신만의 전문성을 강화할 수 있습니다.

연구 및 프로젝트 참여

컨셉맵은 연구 및 프로젝트 참여를 계획하는 데에도 유용합니다. 학생들은 자신의 관심 분야와 전공에 맞는 연구 주제를 찾고, 참여하고자 하는 프로젝트를 시각적으로 표현할 수 있습니다. 이를 통해 학문적인 성장과 함께 현장 경험을 쌓아나갈 수 있습니다.

인턴십 및 취업 계획

대학을 졸업한 후 취업을 목표로 하는 학생들을 위해 컨셉맵은 인턴십 및 취업 계획을 구체적으로 세우는 데 큰 도움이 됩니다. 자신이 향하고 싶은 분야의 기업이나 조직을 시각적으로 정리하고, 필요한 역량을 키워가는 계획을 세울 수 있습니다. 또한, 취업 전략을 세우고 그에 따른 대비책을 마련

할 수 있어 더욱 안정적인 취업을 위한 준비를 할 수 있습니다.

이처럼 컨셉맵은 실버산업학과 학생들이 대학 생활을 더욱 의미 있게 만들기 위한 다양한 계획을 세우고 시각적으로 표현하는 데에 도움을 주는 강력한 도구입니다. 학생들은 이를 통해 미래에 향한 로드맵을 더욱 명확하게 그리고, 대학 생활을 풍요롭게 만들어 나갈 수 있을 것입니다.

예시3. 컨셉맵으로 대학 생활 계획하기 - 의학과

의학과 학생들은 매우 바쁜 대학 생활을 펼치면서 높은 수준의 학문적 지식과 실무 경험을 쌓아가야 합니다. 이 장에서는 의학과 학생들이 효과적으로 대학 생활을 계획하고 성공적으로 이끌어 나가기 위해 컨셉맵을 어떻게 활용할 수 있는지 살펴보겠습니다.

전문 지식 습득 계획

컨셉맵을 활용하여 의학과 학생들은 다양한 전문 지식을 체계적으로 습득할 수 있는 계획을 세울 수 있습니다. 다양한 의학 분야에 대한 강의, 연구 프로젝트, 실습 등을 고려하여 전공 과목을 효율적으로 선택하고, 선수 과목 및 선수 실습을 고려하여 자신의 지식을 조립할 수 있습니다.

연구 및 임상 경험 획득

컨셉맵은 의학과 학생들이 연구 및 임상 경험을 획득하는 계획을 구체적으로 세우는 데에 도움을 줍니다. 어떤 분야의 연구에 참여하고, 어떤 병원에서 어떤 실습을 진행할 것인지를 시각적으로 표현함으로써, 학생들은 학문적 성장과 실무 능력 향상에 집중할 수 있습니다.

의학 커뮤니티 및 네트워킹

의학은 협력과 소통이 매우 중요한 분야입니다. 컨셉맵은 의학과 학생들이 의학 커뮤니티에 참여하고 네트워킹을 통해 전문가 및 동료들과 소통하는 계획을 세우는 데에 도움이 됩니다. 학회 참석, 세미나 참여, 연구 발표 등을 고려하여 의학 커뮤니티에서 활발한 활동을 펼칠 수 있습니다.

이처럼 컨셉맵은 의학과 학생들이 대학 생활을 더욱 효과적으로 계획하고, 전문적인 지식과 경험을 쌓아가는 데에 큰 도움이 됩니다. 학생들은 이를 통해 미래에 대한 목표를 명확하게 그리고, 의학 분야에서의 성공을 위한 기반을 다지게 될 것입니다.

예시4. 컨셉맵으로 대학 생활 계획하기 - 컴퓨터공학과

컴퓨터공학과 학생들은 빠르게 진화하는 기술 분야에서 성공하기 위해 다양한 기술과 프로젝트에 참여하며 전문적인 지식을 습득해야 합니다. 이 장에서는 컴퓨터공학과 학생들이 효과적으로 대학 생활을 계획하고 성공적으로 나아갈 수 있도록 컨셉맵을 어떻게 활용할 수 있는지 살펴보겠습니다.

학문적 성장 계획

컴퓨터공학과 학생들은 학문적인 성장을 위해 다양한 전공 과목을 수강하고 프로젝트에 참여해야 합니다. 컨셉맵을 통해 학기별로 어떤 수업을 들을지, 프로그래밍 언어나 알고리즘에 대한 실력을 향상시킬 어떤 프로젝트에 참여할지 계획을 세울 수 있습니다.

프로젝트 및 대외활동 계획

컴퓨터공학은 실무적인 경험이 중요한 분야입니다. 컨셉맵을 사용하여 학생들은 학기 중이나 방학 동안 참여할 프로젝트, 해커톤, 인턴쉽 등 다양한 대외활동을 계획할 수 있습니다. 이를 통해 현업에서 필요로 하는 실무 능력을 강화할 수 있습니다.

자기개발 및 경력 준비

컴퓨터공학과 학생들은 졸업 후에도 계속해서 학습하고 자기개발을 해야 합니다. 컨셉맵을 활용하여 어떤 분야에서 전문가가 되고 싶은지, 어떤 자격증이나 교육을 통해 경력을 쌓을지 계획을 세울 수 있습니다.

이처럼 컨셉맵은 컴퓨터공학과 학생들이 대학 생활을 계획하고, 다양한 경험과 기술을 효과적으로 습득하여 성공적인 전문가로 성장하는 데에 큰 도움이 됩니다. 학생들은 미래에 대한 목표를 명확하게 그리고, 컴퓨터 공학 분야에서의 성공을 위한 기반을 다지게 될 것입니다.

예시5. 컨셉맵으로 대학 생활 계획하기 - 산업공학과

산업공학과 학생들은 효율적이고 최적화된 시스템을 디자인하고 구축하는 데에 중점을 두는 공학 분야로, 다양한 분야에서 활용됩니다. 이 장에서는 산업공학과 학생들이 대학 생활을 계획하고 효율적으로 성장하기 위해 컨셉맵을 어떻게 활용할 수 있는지 살펴보겠습니다.

학문적 성장과 목표 설정

산업공학과 학생들은 제조, 공급망, 생산 등 다양한 영역에서 활동합니다. 컨셉맵을 통해 학문적인 성장을 위한 주요 전공과목과 연구 프로젝트를 계획하고, 산업공학 분야에서 어떤 분야에 진출하고 싶은지 목표를 설정할 수 있습니다.

실무 경험과 프로젝트 참여

산업공학은 이론뿐만 아니라 실무 경험이 중요한 분야입니다. 학기 중이나 방학 동안 참여할 수 있는 프로젝트, 현장실습, 산업체와의 협력 프로그램을 컨셉맵을 통해 계획하여, 실무 경험을 쌓고 실무 능력을 향상시킬 수 있습니다.

자기개발 및 산업 공학 네트워킹

컨셉맵을 활용하여 산업공학과 학생들은 자기개발을 위한 목표를 세우고, 관련 분야에서 활동하는 전문가와의 네트워킹 계획을 수립할 수 있습니다. 학문적 성장뿐만 아니라 업계 동향을 파악하고 산업 공학 커뮤니티에 참여하여 더 풍부한 대학 생활을 즐길 수 있습니다.

이처럼 컨셉맵은 산업공학과 학생들이 대학 생활을 계획하고, 다양한 경험과 기술을 효과적으로 습득하여 향후 산업 분야에서 성공적인 경력을 쌓을 수 있도록 도와줍니다. 학생들은 명확한 목표를 가지고, 효율적으로 대학 생활을 이끌어 갈 것입니다.

예시6. 컨셉맵으로 대학 생활 계획하기 - 경영학과

경영학과 학생들은 조직의 경영 및 전략적 의사결정에 대한 이해와 능력을 갖추는 것이 중요합니다. 컨셉맵을 활용하여 경영학과 학생들은 다양한 영역에서 발전하고 성장할 수 있는 계획을 수립할 수 있습니다.

학문적 성장과 목표 설정

경영학은 다양한 분야와 급변하는 비즈니스 환경에서 중요한 역할을 합니다. 컨셉맵을 사용하여 학문적 성장을 위한 주요 전공 과목, 연구 프로젝트, 미래 진로에 관한 목표를 설정할 수 있습니다.

실무 경험과 산업체 협력

경영학과 학생들은 이론뿐만 아니라 현장 경험이 필수입니다. 컨셉맵을 활용하여 학기 중이나 방학 동안 참여할 수 있는 현장실습, 산업체 프로젝트, 채용 설명회 등을 계획하여 실무 능력을 향상시킬 수 있습니다.

리더십 개발과 창업 관련 활동

경영학과 학생들은 리더십과 창업에 대한 역량을 키우는 것이 중요합니다. 컨셉맵을 활용하여 학내 또는 외부에서 진행되는 리더십 개발 프로그램, 창업 대회, 네트워킹 행사 등을 계획하여 개인 역량을 강화할 수 있습니다.

이처럼 컨셉맵은 경영학과 학생들이 대학 생활을 계획하고 다양한 경험을 쌓아나가며, 현실 세계에서 경쟁력 있는 비즈니스 전문가로 성장할 수 있도록 도와줍니다. 명확한 비전과 계획을 통해 학생들은 풍부한 대학 생활을 즐기고, 미래에 나아가는 발걸음을 확실하게 할 것입니다.

7장 진로 개발의 전략: 목표 달성을 위한 계획 수립

[7.1 진로 개발의 단계]

진로 개발은 자신의 적성과 흥미, 가치관 등을 바탕으로, 자신의 미래에 대한 비전을 설정하고, 이를 달성하기 위한 구체적인 계획을 수립하는 과정을 말합니다. 진로 개발은 단순히 직업 선택을 넘어, 인생의 목표와 방향을 설정하는 중요한 과정입니다. 진로 개발은 크게 다음과 같은 5단계로 나눌 수 있습니다. **자기 이해**는 진로 개발의 첫 번째 단계입니다. 이 단계에서는 자신의 적성과 흥미, 가치관, 성격, 강점과 약점 등을 파악합니다. 이를 위해서는 자신의 경험, 성취, 실패, 관심사, 가치관 등을 되돌아보고, 타인으로부터의 피드백을 받는 것이 도움이 됩니다. 두번째 단계인 **직업 세계 탐색**은 다양한 직업에 대해 알아보는 단계입니다. 이 단계에서는 다양한 직업의 업무 내용, 요구되는 역량, 전망 등을 조사합니다. 이를 위해서는 직업 정보 탐색, 직업 체험, 진로 상담 등을 활용할 수 있습니다. 세번째 단계인 **진로 설정**은 자신의 적성과 흥미, 가치관 등을 바탕으로, 자신의 미래에 대한 비전을 설정하는 단계입니다. 이 단계에서는 자신의 목표를 구체화하고, 이를 달성하기 위한 계획을 수립합니다. 네번째 단계인 **진로 실천**은 자신의 진로 설정을 실행에 옮기는 단계입니다. 이 단계에서는 **자신의 계획을 실천하고, 그 결과를 평가**합니다. 이를 위해서는 학업, 인턴십, 봉사활동, 동아리 활동 등을 활용할 수 있습니다. 마지막으로 진로 재설정은 자신의 진로를 지속적으로 점검하고, 필요에 따라 수정하는 단계입니다. 이 단계에서는 자신의 목표와 현실을 비교하고, 변화에 따라 자신의 진로를 조정합니다.

진로 개발의 중요성

진로 개발은 다음과 같은 이유로 중요합니다. 첫째, **자신에게 적합한 직업을 선택할 수 있습니다**. 진로 개발을 통해 자신의 적성과 흥미, 가치관 등을 파악하면, 자신에게 적합한 직업을 선택할 수 있습니다. 이는 직업 만족도와 직업 안정성을 높일 수 있습니다. 둘째, **자신의 목표와 방향을 설정할 수 있습니다**. 진로 개발을 통해 자신의 미래에 대한 비전을 설정하면, 자신의 목표와 방향을 설정할 수 있습니다. 이는 삶의 의미와 만족도를 높일 수 있습니다. 셋째, **자기 계발을 위한 동기를 부여합니다.** 진로 개발은 자신의 적성과 흥미, 가치관 등을 바탕으로, 자신의 미래에 대한 비전을 설정하는 과정입니다. 이 과정은 자기 계발을 위한 동기를 부여하고, 자기 성장을 이끌 수 있습니다.

진로 개발을 위한 팁

진로 개발을 효과적으로 수행하기 위한 팁을 몇 가지 소개합니다.

첫째, 자신의 적성과 흥미를 객관적으로 파악하세요.

자신의 적성과 흥미는 주관적인 생각에 의해 왜곡될 수 있습니다. 따라서, 자신의 적성과 흥미를 객관적으로 파악하기 위해 다양한 방법을 활용하세요. 자기 이해 검사는 자신의 적성과 흥미, 가치관, 성격, 강점과 약점 등을 파악하는 데 도움이 되는 도구입니다. 다양한 자기 이해 검사를 활용하여 자신의 적성과 흥미를 객관적으로 파악하세요. 진로 상담사는 자신의 적성과 흥미에 맞는 직업을 선택할 수 있도록 도와주는 전문가입니다. 진로 상담을 통해 자신의 적성과 흥미를 객관적으로 파악하세요. 직업 체험을 통해 다양한 직업을 직접 경험해 보세요. 직업 체험을 통해 자신의 적성과 흥미에 맞는 직업을 찾을 수 있습니다.

둘째, 직업 세계에 대한 정보를 충분히 수집하세요.

직업 세계에 대한 정보가 부족하면, 자신의 적성과 흥미에 맞는 직업을 선택하기 어렵습니다. 따라서, 다양한 직업 정보를 수집하세요. 직업 정보 탐색을 통해 다양한 직업의 업무 내용, 요구되는 역량, 전망 등을 조사하세요. 인터넷, 도서관, 진로 기관 등을 통해 직업 정보를 탐색할 수 있습니다. 직업

박람회를 통해 다양한 직업을 한자리에서 만나볼 수 있습니다. 직업 박람회를 통해 직업 세계에 대한 정보를 얻고, 다양한 직업에 대해 알아보세요.

직업인과의 만남을 통해 직업 세계에 대한 생생한 정보를 얻을 수 있습니다. 직업인과의 만남을 통해 자신의 적성과 흥미에 맞는 직업을 선택할 수 있습니다.

셋째, 진로 설정을 구체화하세요.

진로 설정이 구체적이지 않으면, 실천하기 어렵습니다. 따라서, 자신의 목표를 구체화하고, 이를 달성하기 위한 계획을 수립하세요. 먼저, 자신의 미래에 대한 비전을 세우세요. 그리고, 이를 달성하기 위한 구체적인 목표를 세우세요. 목표를 달성하기 위해 필요한 구체적인 계획을 수립하세요. 계획을 수립할 때는 현실적인 목표와 계획을 세우는 것이 중요합니다.

넷째, 진로 실천을 위한 노력을 기울이세요.

진로 설정은 목표를 설정하는 것에 그치지 않습니다. 목표를 달성하기 위해 노력해야 합니다. 따라서, 진로 실천을 위한 노력을 기울이세요. 수립한 계획을 실천하세요. 계획을 실천하기 위해 어려움이 있다면, 이를 극복하기 위한 노력을 기울이세요. 계획을 실천한 후, 그 결과를 평가하세요. 평가를 통해 자신의 부족한 부분을 파악하고, 이를 보완하기 위한 노력을 기울이세요.

다섯째, 진로를 지속적으로 점검하세요.

환경과 상황은 변화하기 때문에, 자신의 진로도 지속적으로 점검해야 합니다. 따라서, 자신의 진로를 지속적으로 점검하고, 필요에 따라 수정하세요. 사회 환경, 경제 환경, 기술 환경 등 외부 환경과 자신의 상황을 파악하세요.

자신의 진로가 외부 환경과 자신의 상황에 적합한지 점검하세요. 필요에 따라 자신의 진로를 수정하세요. 진로 개발은 평생에 걸쳐 이루어지는 과정입니다. 따라서, 진로 개발을 위한 노력을 꾸준히 기울이세요.

[7.2 컨셉맵으로 목표 달성 계획 세우기]

컨셉맵을 활용하여 목표 달성 계획을 세울 수 있습니다. 컨셉맵을 활용을 통하여 목표를 명확하게 설정할 수 있어서, 컨셉맵을 통해 목표를 시각적으로 표현하면, 목표가 무엇인지 명확하게 이해할 수 있습니다. 목표를 달성하기 위한 과정을 체계적으로 계획할 수 있어서, 컨셉맵을 통해 목표를 달성하기 위한 과정을 단계별로 나누고, 각 단계별로 필요한 활동과 자원을 계획할 수 있습니다. 또한, 목표 달성 과정을 지속적으로 점검하고, 필요에 따라 수정할 수 있어서, 컨셉맵을 통해 목표 달성 과정을 시각적으로 표현하면, 목표 달성 과정을 지속적으로 점검하고, 필요에 따라 수정할 수 있습니다.

컨셉맵으로 목표 달성 계획 세우는 방법

컨셉맵으로 목표 달성 계획을 세우는 방법은 다음과 같습니다. 먼저, 자신이 이루고 싶은 목표를 설정합니다. 목표는 구체적이고, 측정 가능하며, 달성 가능하며, 관련성이 있고, 시한이 있는 것이 좋습니다. 목표를 달성하기 위해서는 어떤 과정을 거쳐야 하는지 단계별로 나눕니다. 각 단계는 목표를 달성하기 위해 필요한 구체적인 활동과 자원을 포함합니다. 단계별 활동과 자원을 컨셉맵으로 표현합니다. 컨셉맵을 통해 목표 달성 과정을 시각적으로 표현하면, 목표 달성 과정을 보다 쉽게 이해하고, 체계적으로 계획할 수 있습니다. 컨셉맵을 활용하여 목표 달성 과정을 지속적으로 점검하고, 필요에 따라 수정합니다. 컨셉맵을 활용하여 목표 달성 과정을 지속적으로 점검하고, 필요에 따라 수정합니다. 목표 달성 과정을 점검할 때는 다음과 같은 사항을 고려합니다.

목표 달성 과정은 여전히 적절한지

목표 달성 과정에 필요한 활동이나 자원은 추가되거나 변경되어야 하는지

목표 달성 과정에 예상치 못한 어려움이 발생하지는 않는지

컨셉맵을 활용하여 목표 달성 과정을 성공적으로 완료합니다.

컨셉맵을 활용하여 목표 달성 과정을 성공적으로 완료합니다. 목표 달성 과정을 완료할 때는 다음과 같은 사항을 고려합니다.

목표 달성 과정을 성공적으로 완료하기 위한 전략은 무엇인지

목표 달성 과정에서 발생할 수 있는 어려움을 극복하기 위한 방법은 무엇인지

컨셉맵으로 목표 달성 계획을 세우는 예시

예시) 목표: 영어로 의사소통할 수 있게 되기

단계별 활동과 자원:

1단계: 기초 영어 문법과 어휘 익히기

* 활동: 영어 문법 책 학습, 영어 어휘 공부

* 자원: 영어 문법 책, 영어 어휘 책, 영어 학습 앱

2단계: 영어 회화 실력 향상하기

* 활동: 영어회화 학원 수강, 원어민과 대화하기

* 자원: 영어회화 학원, 원어민 친구, 영어회화 앱

3단계: 영어로 의사소통하기

* 활동: 영어로 말하기, 영어로 글쓰기

* 자원: 영어권 국가 여행, 영어권 국가에서 일하기

이 예시에서는 영어로 의사소통할 수 있게 되는 것을 목표로 삼고, 이를 달성하기 위한 과정을 3단계로 나누었습니다. 각 단계별로 필요한 활동과 자원을 구체적으로 명시하였습니다. 1단계에서는 기초 영어 문법과 어휘를 익히기 위해 영어 문법 책, 영어 어휘 책, 영어 학습 앱을 활용합니다. 2단계에서는 영어 회화 실력을 향상시키기 위해 영어회화 학원 수강과 원어민과 대화를 활용합니다. 3단계에서는 영어로 의사소통하기 위해 영어로 말하기와 영어로 글쓰기를 활용합니다. 이러한 목표 달성 계획을 컨셉맵으로 표현하면 다음과 같습니다.

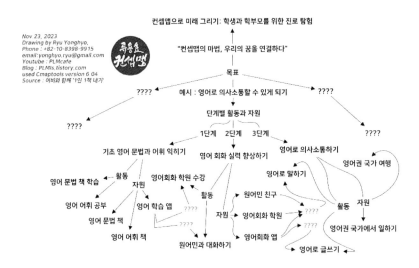

컨셉맵 예시 (Map by 류용효)

이 컨셉맵을 통해 목표 달성 과정을 보다 쉽게 이해하고, 체계적으로 계획할 수 있습니다. 또한, 목표 달성 과정을 지속적으로 점검하고, 필요에 따라 수정할 수 있습니다. 컨셉맵을 활용한 목표 달성 계획 세우기에는 다음과 같은 장점이 있습니다. 첫째, 목표를 명확하게 설정할 수 있습니다. 컨셉맵을 통해 목표를 시각적으로 표현하면, 목표가 무엇인지 명확하게 이해할 수 있습니다. 둘째, 목표를 달성하기 위한 과정을 체계적으로 계획할 수 있습니다. 컨셉맵을 통해 목표 달성하기 위한 과정을 단계별로 나누고, 각 단계별로 필요한 활동과 자원을 계획할 수 있습니다. 셋째, 목표 달성 과정을 지속적으로 점검하고, 필요에 따라 수정할 수 있습니다. 컨셉맵을 통해 목표 달성 과정을 시각적으로 표현하면, 목표 달성 과정을 지속적으로 점검하고, 필요에 따라 수정할 수 있습니다.

컨셉맵을 활용한 목표 달성 계획 세우기의 팁

컨셉맵을 활용한 목표 달성 계획 세우기를 효과적으로 수행하기 위한 팁을 몇 가지 소개합니다. 먼저, 목표를 구체적이고, 측정 가능하며, 달성 가능하며, 관련성이 있고, 시한이 있는 것으로 설정하세요. 목표를 명확하게 설정하기 위해서는 목표를 구체적이고, 측정 가능하며, 달성 가능하며, 관련성이 있고, 시한이 있는 것으로 설정하는 것이 중요합니다. 그 다음으로 목표 달성 과정을 단계별로 나누세요. 목표를 달성하기 위해서는 어떤 과정을 거쳐야 하는지 단계별로 나누는 것이 중요합니다. 각 단계는 목표를 달성하기 위해 필요한 구체적인 활동과 자원을 포함합니다. 다음은 단계별 활동과 자원을 컨셉맵으로 표현하세요. 단계별 활동과 자원을 컨셉맵으로 표현하면, 목표 달성 과정을 보다 쉽게 이해하고, 체계적으로 계획할 수 있습니다. 또한, 목표 달성 과정을 지속적으로 점검하고, 필요에 따라 수정할 수 있습니다. 마지막으로 컨셉맵을 지속적으로 업데이트하세요. 목표 달성 과정은 시간이 지남에 따라 변화할 수 있습니다. 따라서, 컨셉맵을 지속적으로 업데이트하여 목표 달성 과정을 최신 상태로 유지하는 것이 중요합니다. 어쩌면 제일 중요한 것이 그 다음으로, 컨셉맵을 다른 사람과 공유하세요.

컨셉맵을 다른 사람과 공유하면, 목표 달성 과정에 대한 피드백을 얻을 수 있습니다. 또한, 다른 사람의 동기를 부여하고, 목표 달성에 대한 책임감을 느낄 수 있습니다. 컨셉맵을 활용한 목표 달성 계획 세우기는 목표를 보다 효과적으로 달성하는 데 도움이 되는 좋은 방법입니다. 위의 팁을 참고하여, 컨셉맵을 활용하여 목표 달성 계획을 세워보세요.

[7.3 어떻게 계획을 조절할 것인가?]

계획을 세웠다고 해서 그것이 그대로 실행되는 것은 아닙니다. 계획을 실행하는 과정에서 예상치 못한 상황이 발생하거나, 계획의 일부가 실패할 수도 있습니다. 따라서, 계획을 조절하여 목표를 달성하기 위한 과정을 적절하게 관리할 필요가 있습니다. 계획 조절은 다음과 같은 이유로 필요합니다. 첫째, **목표 달성을 위한 과정을 적절하게 관리하기 위해 필요합니다**. 계획을 세웠다고 해도, 계획을 실행하는 과정에서 예상치 못한 상황이 발생하거나, 계획의 일부가 실패할 수도 있습니다. 따라서, 이러한 상황에 대처하고, 계획을 적절하게 조절하여 목표 달성을 위한 과정을 적절하게 관리할 필요가 있습니다. 둘째, **계획의 효율성을 높이기 위해 필요합니다**. 계획을 세울 때는 다양한 정보를 수집하고, 다양한 가능성을 고려하여 세우게 됩니다. 하지만, 계획을 실행하는 과정에서 새로운 정보를 얻거나, 새로운 상황을 경험하게 되면, 계획의 일부를 수정하거나, 새로운 계획을 수립하는 것이 필요할 수 있습니다. 따라서, 계획을 지속적으로 점검하고, 필요에 따라 조절하여 계획의 효율성을 높이는 것이 중요합니다.

계획 조절의 방법

계획 조절은 다음과 같은 방법으로 수행할 수 있습니다. 첫째, **계획의 진척 상황을 점검합니다**. 계획을 세웠다면, 계획의 진척 상황을 주기적으로 점검해야 합니다. 계획의 진척 상황을 점검하면, 계획이 잘 진행되고 있는지, 아니면 계획을 조절해야 하는지 판단할 수 있습니다. 둘째, **계획의 목표를 재검토합니다**. 계획의 진척 상황을 점검하면서, 계획의 목표가 여전히 유효한지, 아니면 목표를 수정해야 하는지 검토합니다. 목표를 수정해야 한다면, 목표를 수정하고, 이에 따라 계획을 조절합니다. 셋째, **계획의 과정을 검토합니다**. 계획의 진척 상황을 점검하면서, 계획의 과정이 효율적인지, 아니면 과정을 개선해야 하는지 검토합니다. 과정을 개선해야 한다면, 과정을 개선하고, 이에 따라 계획을 조절합니다. 넷째, **계획의 자원을 검토합니다**. 계획의 진척 상황을 점검하면서, 계획에 필요한 자원이 충분한지, 아니면 자원을 추가 확보해야 하는지 검토합니다. 자원을 추가 확보해야 한다면, 자원을 추가 확보하고, 이에 따라 계획을 조절합니다.

계획 조절의 팁

계획 조절을 효과적으로 수행하기 위한 팁을 몇 가지 소개합니다. 첫째, **계획을 세울 때부터 계획 조절을 고려합니다**. 계획을 세울 때부터 계획 조절을 고려하면, 계획 조절을 보다 효과적으로 수행할 수 있습니다. 예를 들어, 계획에 예상치 못한 상황을 대비한 대책을 마련하거나, 계획의 목표와 과정을 유연하게 설정하는 것이 좋습니다. 둘째, **계획 조절을 정**

기적으로 수행합니다. 계획 조절은 정기적으로 수행해야 합니다. 계획을 세웠다고 해도, 계획을 실행하는 과정에서 상황이 빠르게 변화할 수 있습니다. 따라서, 계획 조절을 정기적으로 수행하여, 계획이 목표 달성을 위한 최적의 상태를 유지하도록 해야 합니다. 셋째, **계획 조절에 대한 의지를 가지고 있습니다.**

계획 조절은 때로는 계획을 수정하거나, 새로운 계획을 수립하는 것을 의미하기도 합니다. 따라서, 계획 조절에 대한 의지를 가지고, 계획을 조절하는 것이 중요합니다. 계획 조절은 목표 달성을 위한 필수적인 과정입니다. 계획 조절을 효과적으로 수행하여, 목표 달성을 위한 과정을 보다 효율적으로 관리하세요.

경남대 빅리더 AI 아카데미에 입학한 60여명 학생들에게 진로맵 클래스 특강을 하였습니다. 여름방학동안 AI 관련 배우고, 실제 기업을 방문하여 기업에서 AI로 표현하고자 하는 과제를 수행하면서 협의, 협상, 구현, 수정 등의 일련의 과정을 직접 체험하면서 실무에 사용하는 수준으로 결과물을 만듭니다. 그렇게 실무형으로 경험한 인재들은 국내 굴지의 회사에서 원하는 인재들이 되었습니다. 실제로 실력을 인정받아 AI 아카데미 수료한 학생들은 원하는 기업으로 입사하는 케이스가 계속 늘어나고 있습니다.

진로맵 클래스 강의(경남대 빅리더 AI 아카데미, 2022.7)

[에필로그: 컨셉맵을 통한 성공적인 미래]

끝없이 펼쳐진 새로운 세계, 우리가 꿈꾸는 미래는 어떤 모습일까요? 우리는 삶의 여정에서 자주 미래를 상상하고, 그 속에 담긴 꿈을 키워 나갑니다. 그러나 어떻게 그 꿈을 현실로 만들어갈 수 있을까요? 바로 컨셉맵이 그 해답을 제시합니다. 이 작은 도구는 우리 마음의 미로를 정리하고, 꿈을 구체적으로 펼칠 수 있는 열쇠입니다. 컨셉맵은 우리의 내적 세계를 시각적으로 표현하는 특별한 매체입니다. 마치 마법사의 완벽한 그림이 펼쳐지듯, 우리의 생각과 목표를 모두 수용해내며 미래의 가능성을 끝없이 펼쳐 놓습니다. 이 작은 종이 한 장이 우리의 비전과 꿈을 현실로 이끄는 길이 됩니다. 컨셉맵을 그려가면서, 우리는 자신의 강점과 가치를 발견하고, 그 가치를 키워가는 방향으로 나아갑니다. 또한, 컨셉맵은 계획을 세우고, 그 계획을 유연하게 조절하는 과정에서 우리에게 필요한 민첩성과 적응력을 키워줍니다. 마치 마법사가 자신의 지팡이로 미로를 헤쳐 나가듯, 우리는 컨셉맵을 통해 미래의 모험을 설계하고 이끌어 갈 수 있습니다.

컨셉맵은 우리의 꿈과 비전을 하나로 연결합니다. 그림과 단어, 색과 모양이 어우러진 그 특별한 맵 위에서, 우리는 자유롭게 미래의 길을 걸어갈 수 있습니다. 이 작은 도구를 통해 우리의 꿈이 펼쳐지고, 미래가 더욱 풍요로워질 것입니다. 그리고 마침내, 우리는 미래에서 우리를 기다리는 성공적인 순간에 도달할 것입니다. 컨셉맵이 품고 있는 마법은 우리의 미래를 밝게 비추며, 우리에게 성공적인 여정을 선사할 것입니다. 이 작은 책 한 권이, 마치 우리의 인생을 묘사하는 한 장면처럼, 독자들에게 희망과 열정의 불씨를 불어넣을 것입니다. 컨셉맵으로 더 나은 미래를 그리며, 우리의 꿈을 이루어가는 여정이 시작됩니다. 함께 걷는 이 길에서, 우리는 끝없는 성장과 성공을 만날 것입니다.

진로 탐험은 우리의 삶에서 매우 중요한 역할을 합니다. 진로 탐험을 통해 우리는 자신의 강점과 약점을 파악하고, 관심사와 적성을 파악하며, 직업의 종류와 특성을 파악할 수 있습니다. 이를 통해 우리는 자신의 진로를 탐색하고, 진로 목표를 설정하며, 진로 계획을 수립할 수 있습니다. 하지만, 진로 탐험은 쉬운 일이 아닙니다. 진로 탐험을 위해서는 많은 시간과 노력이 필요하며, 때로는 어려움을 겪을 수도 있습니다. 이러한 상황에서 컨셉맵은 우리에게 큰 도움을 줄 수 있습니다. 컨셉맵은 우리의 생각을 정리하고, 아이디어를 연결하며, 미래를 그리는 데에 큰 도움을 줍니다. 이 책에서 컨셉맵을 활용하여 진로 탐험을 하는 방법을 활용하여 자신의 강점과 약점을 파악하고, 관심사와 적성을 파악하며, 직업의 종류와 특성을 파악할 수 있습니다. 또한, 진로 목표를 설정하고, 진로 계획을 수립하며, 진로 관련 정보를 수집하고 분석할 수 있습니다.

이 책은 학생과 학부모를 위한 진로 탐험 가이드북입니다. 학생과 학부모는 이 책을 통해 자신의 진로를 탐색하고, 진로 목표를 설정하며, 진로 계획을 수립할 수 있었으면 좋겠습니다. 또한, 진로 탐험을 위한 자기소개서를 컨셉맵으로 한 장 작성하면 차별화 및 자기표현을 톡톡하게 할 수 있어서 좋을 것 같으며, 이 책을 통해 여러분은 성공적인 미래를 그릴 수 있을 것입니다. 컨셉맵을 활용하여 자신의 미래를 그려보세요. 여러분의 꿈이 현실이 되는 순간을 경험할 수 있을 것입니다.

[부록: 실전 컨셉맵 활용 가이드]

1. 페이스북 그룹 "컨셉맵연구소" 소개

2020.2.20 처음으로 컨셉맵커뮤니티가 광화문 MS Korea 강의장(11F)에서 열렸다. 오프라인 모임날, 코로나의 영향으로 과연 몇분이 오실까 걱정을 많이 했습니다. 결과는 왕성한 커뮤니티 활동을 하는 많은 분들이 오셔서, 소강의장에서 더 큰 강의장인 Eiffel Tower를 가득 메웠다. MS MVP 님들이 많이 참석해서 강의가 더욱 빛이 났습니다. 이수경님의 포스트는 역시 핵심을 찌릅니다. "국가대표 가정행복코치이신 이수경님의 정곡을 찌르는 질문과 유머스러움에 많이 웃었다. 작년 2019년 11월 홀.성.끝(이소영저) 서평맵 하나로 길찾사를 알게 되었고, 컨셉맵 커뮤니티 까지 만들었다. 불과 3개만에 벌어진 일인데, 재능기부로 컨셉맵 오프라인모임을 만들었다. 페북의 "커뮤니티에서 길을 찾은 사람들 (커뮤니티 길찾사)" 공개그룹에 이벤트 등록으로 시작되었다. 흥행을 위해 이소영 이사님과 카톡으로 머리를 맞대고 작전을 짰는데, 1차 모임은 대성공이다. 출처: https://plmis.tistory.com/1117 [맵으로 풀어가는 디지털 혁신 스토리텔링 : 티스토리]

컨셉맵이 궁금한 분은 페이스북 그룹 "컨셉맵연구소"로 오세요. 다양한 예제로 실시간 정보들이 공유되고 있는 네트워킹 커뮤니티입니다.

컨셉맵 커뮤니티(since 2020) : 페이스북 그룹 『컨셉맵연구소』

매달 비정기적 오픈강좌 진행하고 있습니다. (서울(모두의연구소 강남), 부산, 창원 ... 별도 요청시 진행)

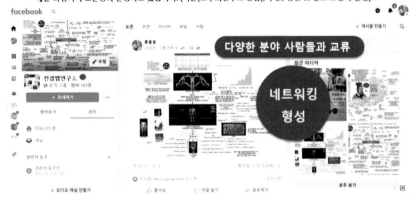

컨셉맵 1차 오프라인 모임 - 스케치 (조미화 작가)

2.[컨셉맵클래스] 컨셉맵 툴인 Cmap Tools에 대해 궁금하신 분들은 참조하시면 좋겠습니다.

CmapTools 설치 및 사용법에 대해 블로그(PLMIs.tistory.com)에 아래와 같이 참고할 내용들을 올려 놓았습니다. 컨셉맵 클래스 형식으로 1.CmapTools 다운로드, 2.컨셉맵 예제, 3.Cmap 설치 및 환경설정, 4.컨셉맵 기초 교재(사용법)에 대해 새로운 기능이나 효과적인 활용방안들을 지속적으로 업데이트 할 예정입니다.

컨셉맵의 대표적인 툴인 Cmap Tools 에 대해 블로그 (PLMIs.tistory.com)에 올려 놓았다. 블로그 링크에 설치부터, 예제, 그리고 사용할 수 있는 기초 교재를 올려 놓았다. 앞으로도 지속적으로 컨셉맵클래스 문서를 통해 새로운 기능이나 방법론을 업데이트 예정이다. 맵을 그리는 툴은 다양하게 있다. 그 중에서 본인이 특성에 맞는 선호하는 툴을 고르는 것이 무엇보다 중요하다. 나는 CAD에서 그리기, 마인드맵 유료, 무료 툴들을 많이 써 봤다. 그리고 마인드맵에서 아쉬운 점의 해결책을 컨셉맵 툴에서 발견하였다. 맵은 만드는 시간이 중요한 것이라 만드는 동안 생각하는 시간과 노력에 있다. 애플 스토어에 가면 NASA ARM App이 있으니, 설치하면 예제가 들어 있다.

Windows 10, 11기준으로 설치하면, Default 설치 C:\Program Files\IHMC CmapTools 를 권장한다. 한글폰트 등 환경 셋팅은 Windows의 한글폰트가 인식되지 않을 경우, C:\Program Files\IHMC CmapTools\jre\lib\fonts 에 폰트를 복사한다. Windows 기본폰트로도 사용가능하지만, 간혹 원하는 폰트가 제대로 인식이 안될 때 사용하는 방법이다. 폰트를 직접 복사하게 한 후 프로그램을 실행하면 폰트가 제대로 인식된다. Cmap프로그램을 실행 후 Cmap 환경 셋팅으로 Edit – Preferences를 열어서 환경 설정을 한다. 앞으로 작업되는 파일들의 저장 위치를 설정하는 과정이다. 사용자 정보 설정을 한다. User Info 를 클릭하여 Name, Organization, Email Address, User ID, Password를 입력한다. 컨셉맵 사용설명서는 처음 Cmap을 배울 때 참조했던 한양대 교육공학과 석사과정 양선영님 의 'Cmap 툴 사용법'을 기반으로 작성되었다. (https://documen.site/download/cmap-tools_pdf) 귀중한 설명서를 만들어 주신 양선영님께 다시 한번 Cmap 사용자로서 감사의 말씀을 전하고 싶다. "감사합니다."

[컨셉맵클래스] 1.Cmaptools 다운로드

[https://plmis.tistory.com/1381]

[컨셉맵클래스] 2.컨셉맵 예제

[https://plmis.tistory.com/1382]

[컨셉맵클래스] 3.Cmap 설치 및 환경설정

[https://plmis.tistory.com/1383]

[컨셉맵클래스] 4.컨셉맵 기초 교재

[https://plmis.tistory.com/1384]

< 컨셉맵 관련 사이트 >

Blog : [https://PLMIs.tistory.com]

Youtube : "PLMcafe"

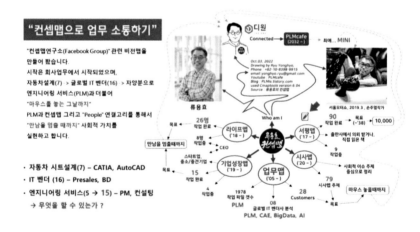

저자 류용효(컨셉맵연구소)의 진로맵 (Map by 류용효)

3.[진로에 도움을 주는 책 소개] 커리어 피보팅(장영화)

저자는 일하는 즐거움을 찾아 변호사에서 창업가로 커리어를 피봇했다. 책, "커리어 피보팅"에는 급변하는 직업 환경 속에서 나에게 맞는 일을 찾아가는 방법이 구체적인 사례와 함께 소개되어 있다. 출처: https://plmis.tistory.com/1321 [맵으로 풀어가는 디지털혁신스토리텔링:티스토리]

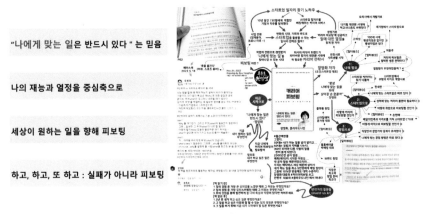

진로맵(커리어 피보팅, Map by 류용효)

4.부모와 자녀의 성장기록을 맵으로 그리기

부모와 자녀사이에는 대화법이 중요하다. 강요하거나 다그치지 말아야 하며 서로를 존중해 주어야 한다. 허나, 부모와 자식 간에는 그게 쉬운가. 장영화 대표의 저서 '커리어 피보팅'의 주요내용을 요약해 보면 다음과 같다. 지금 내가 원하는 일은 무엇인가? 앞으로 내가 하고 싶은 일은 무엇인가? 그리고 지금 나에게 커리어 피보팅이 필요할까? 라는 질문을 자신에게 해 보면 도움이 될 것 같다. 그래서 나의 브랜드는? 내가 열정을 쏟고 싶은 것은? 나의 강점은? 약점은? 이라는 질문의 해답은 어릴 때 부터 만들어 온 자신만의 진로맵이 해답을 줄 것이다. 공감이 간다면 지금 당장 자신의 진로맵을 만들어 보자. 어렴풋한 것보다 명확한 것이 좋다. 써보고 얘기하는 것이 백번 효과적이다.

"나에게 맞는 일은 반드시 있다 " 는 믿음

나의 재능과 열정을 중심축으로

세상이 원하는 일을 향해 피보팅

하고, 하고, 또 하고 : 실패가 아니라 피보팅

진로맵

나의 브랜드는 ?

내가 열정을 쏟고 싶은 것은 ?

나의 강점은 ? 그리고 약점은 ?

"지금 내가 원하는 일은 무엇인가? "

5.[진로에 도움을 주는 책 소개] 대학원생 때 알았더라면 좋았을 것들 2 (김세정 윤은정 유두희)

아들에게 아빠가 전해주는 인생 길라잡이가 되도록 서평맵을 만들었다. 언젠가는 아들의 꿈이 이루어져서 동물병원을 하든지, 아니면 어떤 일을 하든지. 사무실 벽면 액자에 걸어 두면 좋을 책의 내용이다. 공기업, 사기업에서 바라는 점은 문제해결 능력, 기술적 병목현상 해소 두가지이다. 최고의 지도교수 자질은 "학생들과 얼마나 자주 만나는지", "어떻게 자기 학생들을 챙기는지" 모든 대학원생들이 지켜보고 있다. 후배들에게 힘이 되는 저자들의 한마디 모음이다. 처음 마주하게 된 두려움이 나중에는 편안함의 일부가 됐다. 지금 바로 그 선택의 갈림길에 있다면 일단 도전을 하자. 내가 가장 후회하는 것은 내가 할 수 있었는데, 하지 않는 것. '나는 배우러 온 학생이다. 내가 못 하는 것을 빨리 들켜버리자. 우리가 마음먹은 순간, 모든 것은 기회가 된다. 매일매일 조금씩 이라도 공부하면 그 효과가 상당히 크다는 것이다. "나는 배우러 온 사람이니까 비판은 겸허히 받아들이고 무조건 열심히 배우겠다"는 마음가짐! 최고의 지도교수는 학생들과 얼마나 자주 만나는지, 어떻게 자기 학생들을 챙기는지. 모든 대학원생들이 지켜보고 있다. '연구에 시간을 조금씩 할애하는 것이 연구성과에 훨씬 도움이 된다'. 연결고리를 찾으려고 했다. 왜 선택했는지 구체적으로 리뷰했다. 온갖 이성을 총동원해가며 일해야 하는 곳이 회사다. 과제들이 벌레같이 느껴질 때가 회사에 들어왔을 때 가장 크게 좌절하는 순간이고, 때려 치우게 되는 임계점. 임계점만 넘으면 나에게 주어진 새로운 주제가 '나의 주제'가 되는 순간이 올 수도 있다. 출처: https://plmis.tistory.com/1323 [맵으로 풀어가는 디지털혁신스토리텔링:티스토리]

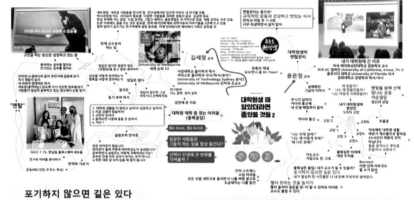

진로맵 (대학원생 때 알았더라면 좋았을 것들 2, Map by 류용효)

6.부모와 자녀 간 소통 도구로 활용하는 방법 – 여행, 진로맵

부모와 자녀 간 소통도구로 여행을 활용하는 방법

[칼럼] 여행에서 얻은 것 - 산업혁명 발상지 영국을 가다 30년차 두 남자의 여행 시작 행선지와 기간을 미리 정한 것은 아니었다. 나는 자연을, 아들은 문명을 택했다. 두 가지를 동시에 할 수 있는 곳! 바로 영국이다. 축구와 산업혁명의 발상지이자, 해리포터의 숨결이 있는 곳."과거와 공존하는 현실문명, 축구, 미래, 그리고 마법과 같은 초자연을 만나다."영국의 유럽연합(EU) 탈퇴(브렉시트) 전에 구석구석 둘러 보고자 계

획했다. 영국의 시작과 끝인 런던에서 미지의 세계처럼 보이는 스코틀랜드의 대자연까지...아들의 위시리스트는 스탬퍼드 브리지(첼시 FC의 홈 구장)에서 본인의 우상을 만나는 것, 해리포터 스튜디오를 방문하여 책과 영화에서 본 것들을 느껴보는 것, 런던에 오래 머물며 구석구석 돌아보는 것, 그리고 올드 트래퍼드(맨체스터 유나이티드의 홈 구장)를 가 보고 싶어 했다. 그리고 스코틀랜드 양떼와의 만남도 추가... 본인의 진로와 그나마 연결고리를 가진 것. 몇번의 Revision을 거쳐 10박 12일의 여정이 완성되었다. 자세한 내용은 출처를 참조하시기 바란다. 출처: https://plmis.tistory.com/1046 [맵으로 풀어가는 디지털혁신스토리텔링:티스토리]

부모와 자녀 간 소통 도구로 활용하는 방법

부모와 자녀 간 소통 도구로 활용할 수 있는 방법론으로 자녀의 진로에 대한 고민들을 적어 본다. 자녀가 어떤 특기가 있는지 적어 본다. 장래 희망과 하고 싶은 것들을 나열하고 적어 본다. 부모의 일과 삶에 대해서도 고민과 희망, 삶의 모토 들을 적어본다. 좋아하는 색, 음식, 여행하고 싶은 곳 등 즐거움에 대해 적어본다. 조사한 내용을 한데 모아 맵으로 정리한다. 특정한 주기(ex. 1년에 두번) 의미있는 날을 잡아서 주기적으로 리뷰하고 업데이트 한다. 진로맵이 지속적으로 쌓이고, 희망하는 것이 결정이 되면, 향후 진로에 대해서 구체적으로 적어본다. 부모님과 자녀 모두의 구체적으로 적은 내용을 맵으로 정리한다.

사랑하는 아들 스토리를 소개한다. 초등학교 4학년때 어느날 대성통곡을 하면서 이런 얘기를 들려준다. "아빠 엄마의 기대에 못 따라갈 것 같아요." 라고 하면서 구슬같은 눈물을 흘리며 얘기한다. 아내와 나는 잠시 충격에 빠졌다. 아들의 행복을 위해 학원도 보내고 공부도 열심히 해서 하고 싶은 일을 하도록 하는 거였는데. 실상은 대치동 아이들의 영어 수준을 가르치는 학습지 선생님에게 아이를 맡겼는데. 처음에는 잘 따라하더니 속도를 내고 등급을 올리니 아이는 맘은 따라가고 싶은데, 맘과 같이 몸이 따라가지 못하니 얼굴이 벌개지고 하더니 어느날 틱이 왔다. 우리는 또 번 충격이었다. 그날로 우리는 학습지를 중단하고 아이와 얘기를 나눴다. 그리고 힘들면 힘들다고 얘기하라고 아이와 생각을 나눴다. 그리고 아이가 하고 싶은 방향에 따라 초등학교 6학년부터 외고 입학 전문 학원에 3년간 보냈다. 공부 강도는 정말 쎄게 숙제도 많고 매일 녹초가 되어 돌아왔다. 포기할 줄 알았는데. 요령이 생겼는지. 3년간 다니더니 영어에 대해서는 자신감이 붙었다. 대신 수학은 어려워한다. 재수까지 하면서 진로는 아이가 선택했다. 그리고 나는 아들의 진로에 대해 아내와 아이가 얘기하는 것들을 모두 모아서 맵으로 정리했다. 어느날 . 나는 아들과 우리가족의 진로가 모두 담긴 가족 진로맵 버전 1.0을 가족 단톡방에 올렸다. 아들과 아내는 반응이 없었다. 3일째. 아내의 첫 마디가. 어디 위치의 건물을 사야 하느냐 돈은 얼마 들것인지 얘기한다. 아내도 생각을 참 많이 한 모양이다. 다음은 아들 반응. 시큰둥했다. 그리고 아들과 아빠의 10박 12일 영국여행으로 암스테르담 - 브뤼셀을 각각 하룻밤씩 자고 고속철도를 이용해 도버해협을 건너서 런던에 도착. 영국여행을 시작했다. 평소 내가 아는 아들은 걸어가는 것을 싫어하고, 게임만 좋아하는 줄 알았다. 그런데 아들과 여행하면서 매일 호텔을 체크인아웃하며 이동하는 계획이었는데 아침 일찍 나와서 밤 11시 넘어야 호텔에 들어가는 강행군이었다. 아침을 안먹던 아이가 호텔 조식 뷔페의 무한 리필 맛을 들이더니, 하루 쓰는 비용에 대해 얘기하기 시작했다. 첼시구장에 가서 선물도 사고 싶고. 해리포터 스튜디오 가서도 선물을 사고 싶다고 했다. 그리고 외국 밴드 연주가 담긴 CD도 샀는데 내가 대신 비용을 지불했다. 그러면서 아들과 자연스럽게 대화량이 늘어나면서 여행 비용에 대해 이야기할 찬스가 생겼다. 호텔, 기차, 비행기표는 이미 지불되었고, 유일하게 조정할 수 있는 것이 하루 10만원의 비용으로 식사, 이동(택시), 간식을 해결해야 된다고. 그 후로 아이는 매일 어제 쓴 비용에 대해 물어본다. 어제 얼마 썼고 오늘 얼마 더 쓸 수 있다고. 그리고 오늘은 적게 먹고 내일 맛있는 것 먹고 싶고 하는 아이의 플랜이 생겨나기 시작한다. 이제 내가 나서지 않아도 아이가 스스로 비용에 대한 통제를 하기 시작했다. 그리고 2년이 흘렀다. 어느날 아이가 아내에게 하는 얘기들을 곰곰히 들어보니. 세상에. 신기하게도 내가 만든 진로맵 대로 아이가 따라오지 않는가! 백문이 불여 한 장이라고 하고 싶다. 그래서 가족 진로맵은 우리가족의 소통맵이 되었다. 앞으로 벌어질 일들은 어느 누구도 알 수가 없다. 하지만 자신의 진로를 만들어 놓은 진로맵이 있다면 최소한 자신의 진로는 자신의 뜻하는 방향대로 가지 않을까 생각한다.

진로맵의 특징은 자녀와 부모가 함께 하는데 있다. 먼저, 자녀의 진로에 대한 고민들을 적어 본다. 자녀가 어떤 특기가 있는지 적어 본다. 장래 희망과 하고 싶은 것들을 나열하고 적어 본다. 부모의 일과 삶에 대해서도 고민과 희망, 삶의 모토 들을 적어본다. 좋아하는 색, 음식, 여행하고 싶은 곳 등 즐거움에 대해 적어본다. 조사한 내용을 한데 모아 맵으로 정리한다. 특정한 주기(ex. 1년에 두번) 의미 있는 날을 잡아서 주기적으로 리뷰하고 업데이트 한다. 진로맵이 지속적으로 쌓이고, 희망하는 것이 결정이 되면, 향후 진로에 대해서 구체적으로 적어본다. 부모님과 자녀 모두의 구체적으로 적은 내용을 맵으로 정리한다.

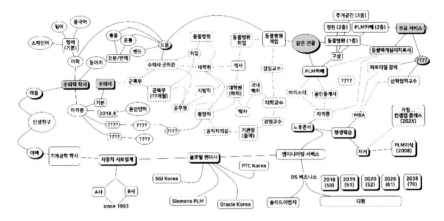

아빠와 아들이 만들어 가는 진로맵 (Map by 류용효)

-